だから、あなたも
生きぬいて

大平光代 著

講談社

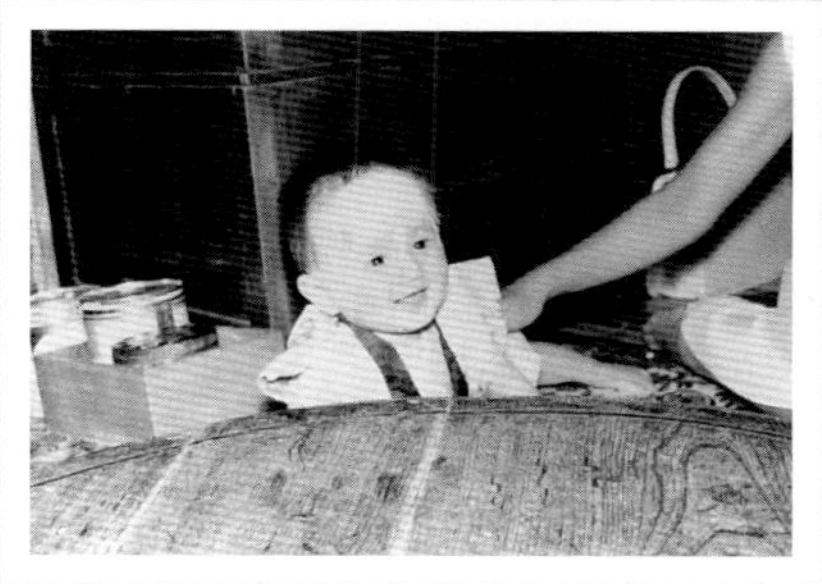

生後6か月くらい。祖母の家で

生後8か月頃《ごろ》。自宅で母と

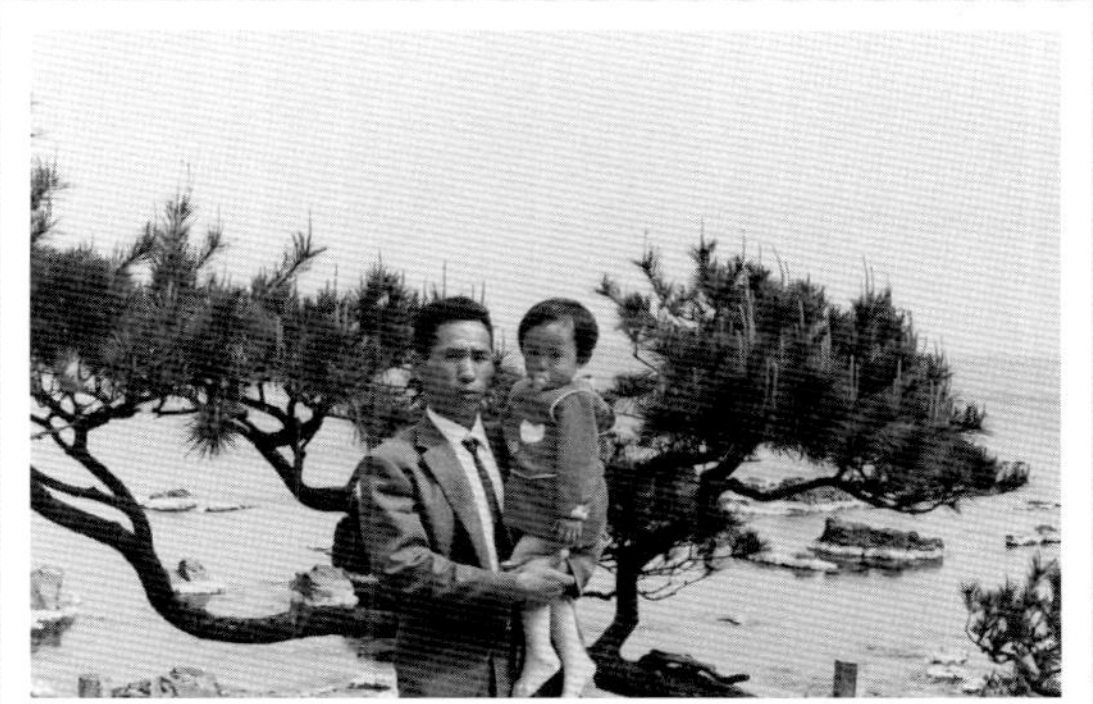

城崎《きのさき》温泉にて。父と

4歳《さい》のとき、城崎温泉にて。
祖母と（父、母、祖母と初めての家族旅行）

5歳のとき、母とお稚児《ちご》さんで

小学2年生のとき、父と母と3人で白浜《しらはま》温泉へ

小学4年生のとき、九州の別府《べっぷ》温泉に家族旅行

小学6年生のときのピアノの発表会

「極道《ごくどう》の妻」の頃。お化粧《けしょう》が濃《こ》く、服装も派手《はで》だった

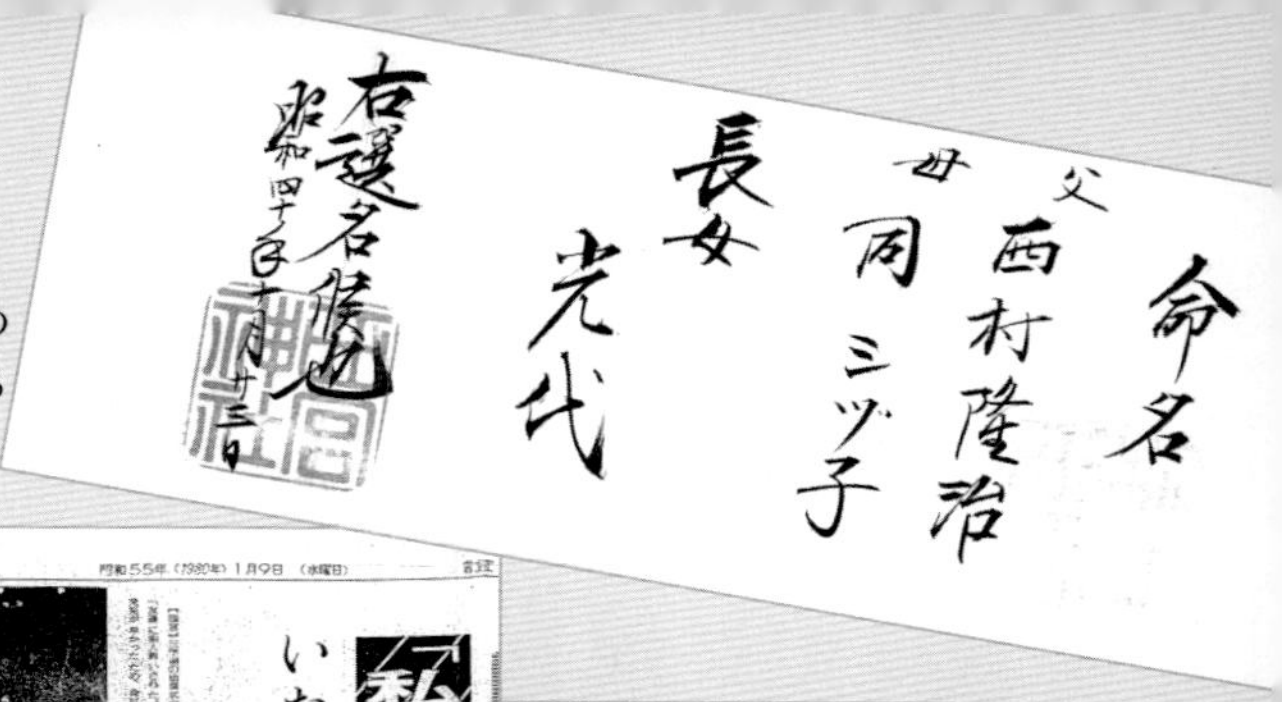

昭和40年10月18日に父・西村隆治《たかじ》、母・シヅ子の一人娘《むすめ》として生をうける

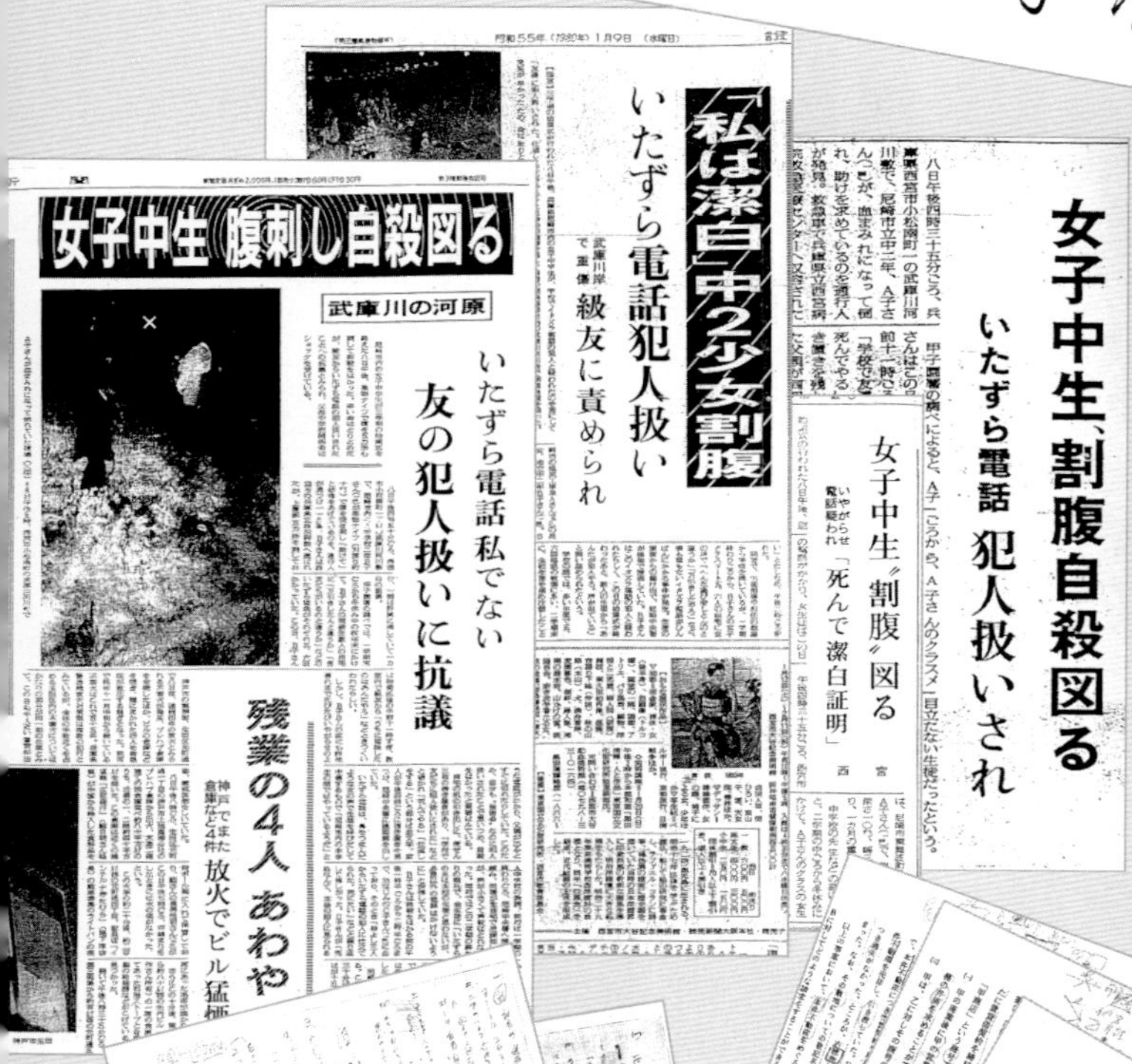

昭和55年1月9日の朝刊各紙の社会面に「割腹《かっぷく》自殺《じさつ》図《はか》る」の記事が大きく扱《あつか》われた

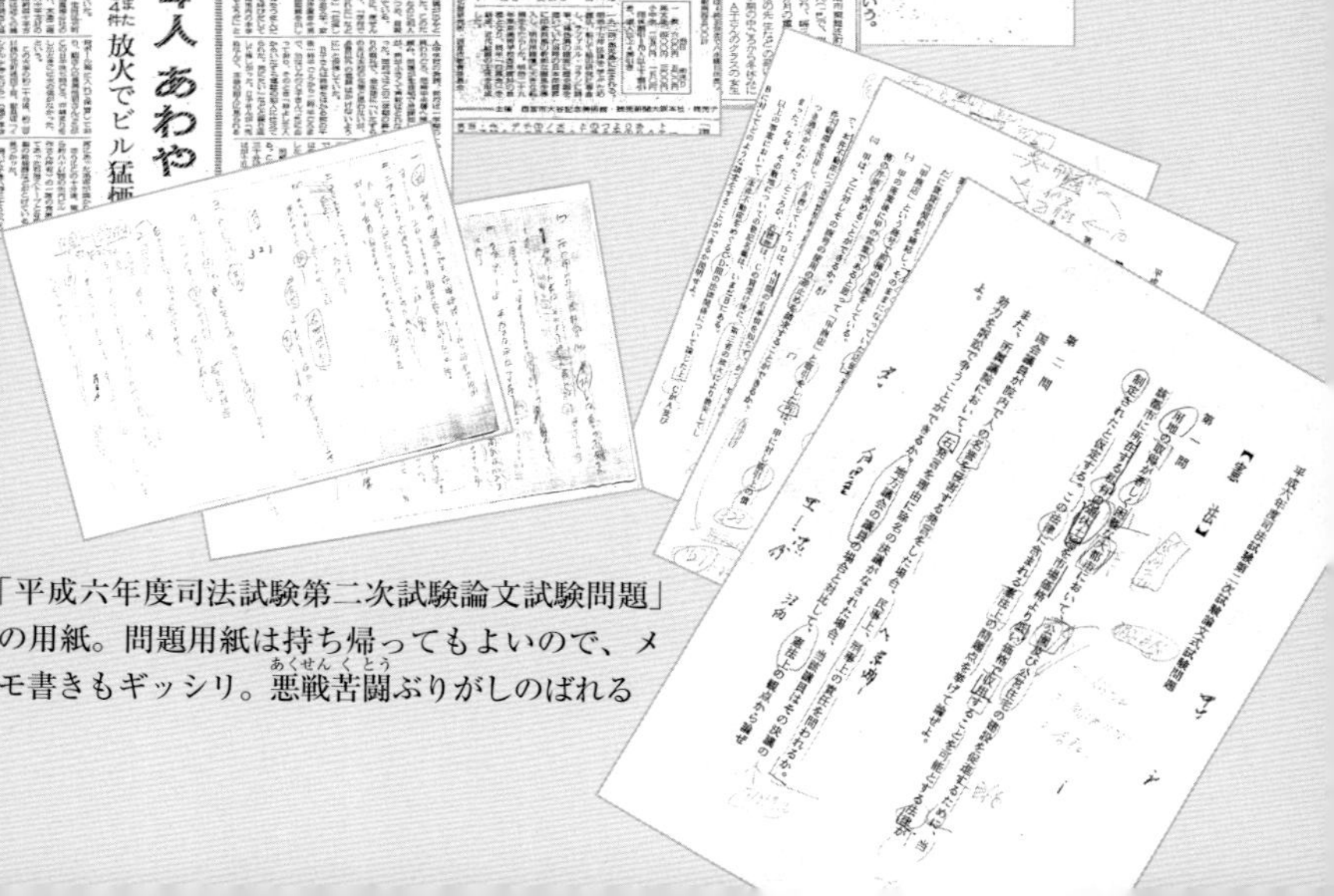

「平成六年度司法試験第二次試験論文試験問題」の用紙。問題用紙は持ち帰ってもよいので、メモ書きもギッシリ。悪戦《あくせん》苦闘《くとう》ぶりがしのばれる

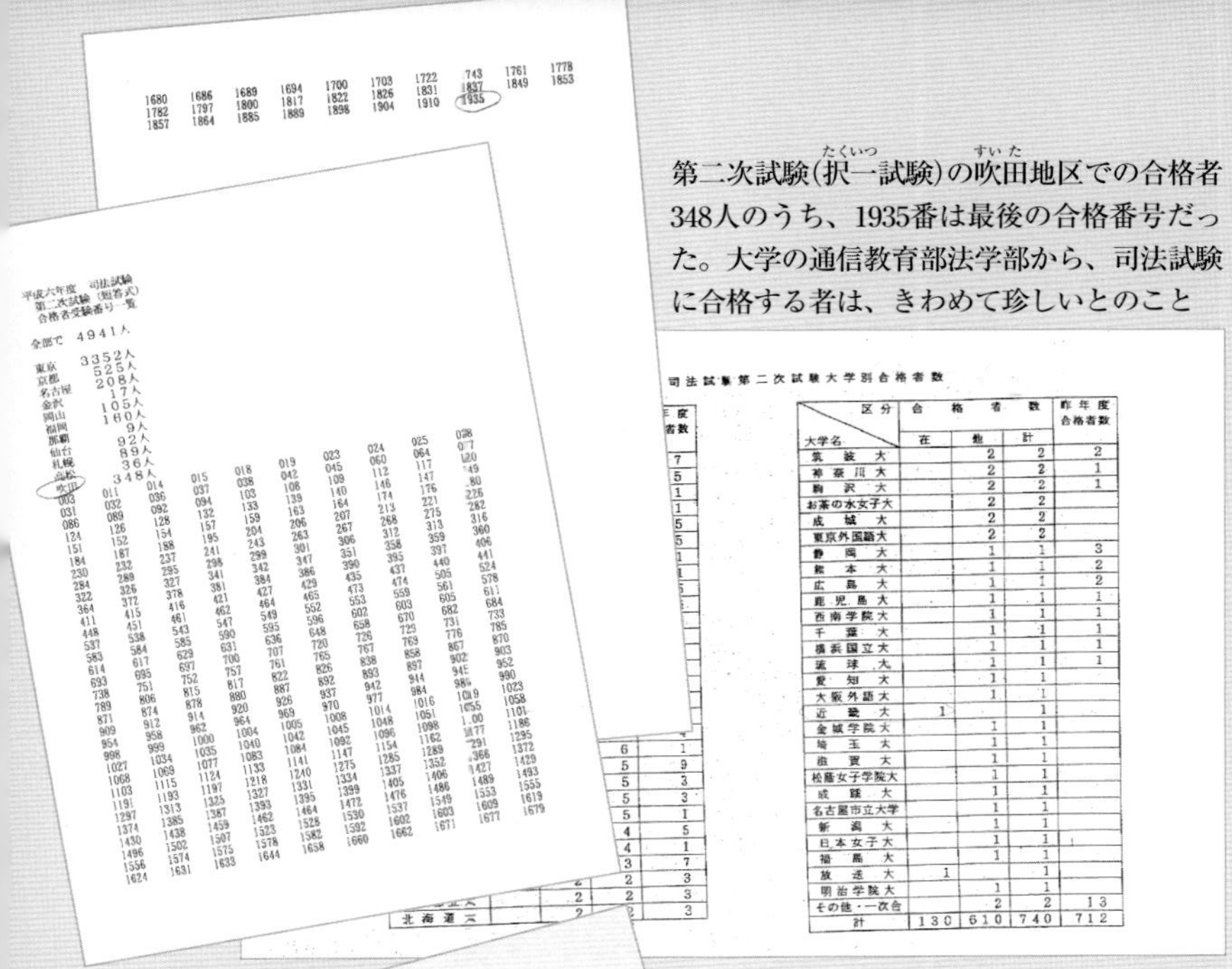

第二次試験（択一《たくいつ》試験）の吹田《すいた》地区での合格者348人のうち、1935番は最後の合格番号だった。大学の通信教育部法学部から、司法試験に合格する者は、きわめて珍しいとのこと

平成６年10月28日夕方７時過ぎ、電報が届いた。ゴウカクオメデトウ」ホウムコウサイカイ

司法試験の各段階での試験を終えると、強い願いを込《こ》めて「合格」と書き込んだ

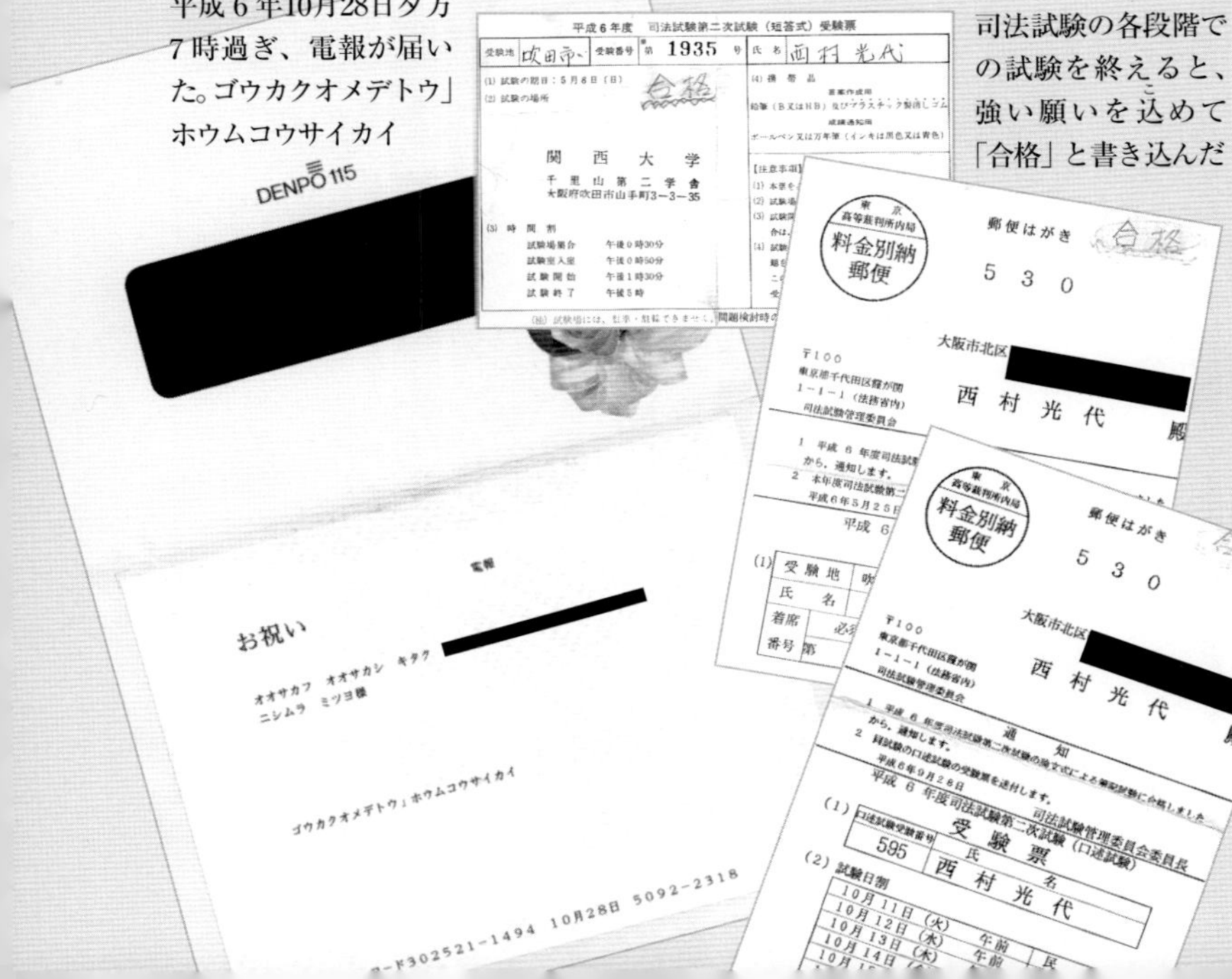

昭和63年7月に、養父・浩三郎《ひろさぶろう》と再起を期《き》して、お参りをした「清荒神《きよしこうじん》」

毎月の例祭《れいさい》の27、28日及《およ》び正月は、参拝客《さんぱいきゃく》でにぎわう

清荒神は、かまどの神様、火の神様、水商売の神様など、ご利益《りやく》も多い

大阪府下の青少年会館での講演の模様。講演の依頼《いらい》は多いが多忙《たぼう》なため、お断《ことわ》りすることが多い

講演のたびに、子どものしつけについて、泣きじゃくりながら質問するお母さんが、数多く見受けられる

道を踏《ふ》み外《はず》しそうな子どもが、私《わたし》の半生を語ることで立ち直ってくれるなら、との強い想《おも》いがあるので、きれいごとの話ではすまされない

会うと「額《ひたい》」の光りかがやき具合《ぐあい》から話が始まる。気のおけない仲間も、養父の薫陶《くんとう》をうけている

弁護士になって4年。関《かか》わった子どもからの電話や手紙が、なによりもうれしい

狭《せま》〜い事務所の中の「ウナギの寝床《ねどこ》」のような私の仕事部屋

私の「三種の神器《じんぎ》」は、近場を駆《か》け回るときの「自転車」と、たくさんの書類が入る「大きめの鞄《かばん》」と「弁護士バッジ」

だから、あなたも生きぬいて

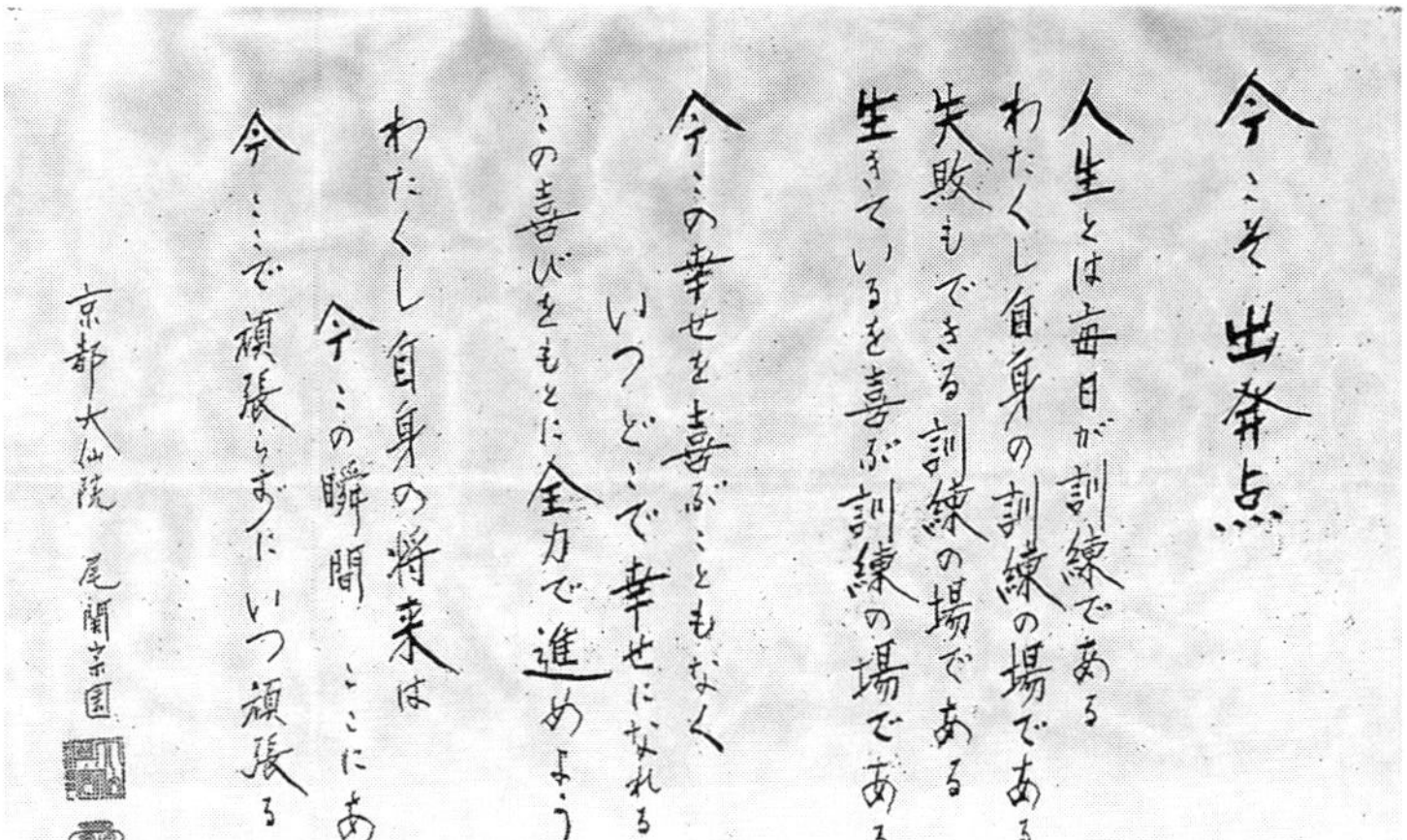
今こそ出発点

人生とは毎日が訓練である
わたくし自身の訓練の場である
失敗もできる訓練の場である
生きているを喜ぶ訓練の場である

今この幸せを喜ぶこともなく
いつどこで幸せになれるか
この喜びをもとに全力で進めよう

わたくし自身の将来は
今この瞬間ここにある

今ここで頑張らずにいつ頑張る

京都大仙院　尾関宗園

目次

装幀　成田郁弘
写真　与儀達二

はじめに

少年鑑別所《かんべつしょ》。ここには非行《ひこう》や犯罪行為《はんざいこうい》を行ったとされる少年が、観護措置《かんごそち》という手続《てつづ》きをとられて収容《しゅうよう》されている。

私《わたし》は、弁護士《べんごし》として、ここに収容《しゅうよう》されている少年に会うために、時おり、訪《おとず》れる。世間の人は、ここに収容《しゅうよう》されている少年のことを、

――非行《ひこう》少年――

と呼《よ》ぶ。

私《わたし》も、かつてそう呼《よ》ばれていた。

面会室に入り、少年と向かい合って座《すわ》る。最初《さいしょ》は無口《むくち》だった少年も、何度か会いにいくうちに、自分のことを話すようになる。親や学校への不満《ふまん》、孤独感《こどくかん》、学校でいじめを受けていたことなど……。少年と話をしているうちに、目の前にいる少年と、かつての自分の姿《すがた》とが重なる……。

――いじめ――

いじめというものは、いじめられた者の人生を大きく狂《くる》わす。人は苦労《くろう》すると、苦労《くろう》した

分だけ人にやさしくなれるという。他人の辛《つら》さや苦しみがわかるからだ。だから、若《わか》いうちの苦労《くろう》は買ってでもしなさい、と言われる。

が、いじめや幼児《ようじ》虐待《ぎゃくたい》を受けた者は、なかなかそうはならない。いじめや虐待《ぎゃくたい》というものは、それを受ける側《がわ》の人間性《にんげんせい》を否定《ひてい》するものと言っても過言《かごん》ではない。人間性《にんげんせい》を否定《ひてい》された者は、今度は他人の人間性《にんげんせい》を否定《ひてい》する側《がわ》に回る。それが人間として許《ゆる》されないということを十分理解《りかい》していながら……。

私《わたし》は、十四歳《さい》のとき、兵庫県西宮市《ひょうごけんにしのみやし》の武庫川《むこがわ》河川敷《かせんしき》で割腹自殺《かっぷくじさつ》を図《はか》った。転校先の学校で、たび重なるいじめを受けたことと、親友に裏切《うらぎ》られたことが原因《げんいん》だった。もう二十年も前の話。いじめをした側《がわ》は、どのようないじめをしたのか、その内容《ないよう》も覚《おぼ》えていないだろう。いや、自分がいじめをしたということすら忘《わす》れてしまっているかもしれない。

が、私《わたし》は忘《わす》れていない。あのときの悲しさ、みじめさ、くやしさ、孤独感《こどくかん》、突《つ》き刺《さ》すような視線《しせん》、恐怖《きょうふ》、あの子たちの息づかい……当時の情景《じょうけい》が生々しく浮《う》かんでくる。まるで昨日《きのう》のことのように……。

第一章　いじめ

転校生

昭和五十三年七月、私《わたし》たち親子は、母方の祖母《そぼ》と一緒《いっしょ》に暮《く》らすため転居《てんきょ》した。それまでは、父と母と親子三人で暮《く》らしていた。父も母も会社勤《づと》めをしていたが、近くに祖母《そぼ》が住んでいたので、寂《さび》しいとは思わなかった。

小学生の頃《ころ》は、学校が終わるとまっすぐ祖母《そぼ》の家に行き、父と母が帰ってくるまでそこで過《す》ごした。高学年になると、習字、そろばん、ピアノを習うようになったため、祖母《そぼ》のほうが私《わたし》の家に来てくれるようになった。そうこうしているうちに祖母《そぼ》も年を取ってくるし、毎日通うのは大変《たいへん》だからと、私《わたし》が中学一年生になった年の七月、同居《どうきょ》することになった。

転居先《てんきょさき》は同じ市内であったが、学区が異《こと》なるため、転校しなければならなかった。仲《なか》のいい友達《ともだち》と離《はな》れるのは寂《さび》しかったが、それよりも祖母《そぼ》と一緒《いっしょ》の家に住めることのほうがうれしかった。明治《めいじ》生まれの祖母《そぼ》は、母を長女に四人の女の子をもうけたが、四女が生まれてすぐに祖父《そふ》が亡《な》くなったため、小さい子どもをかかえて朝から晩《ばん》まで働《はたら》きづめに働《はたら》き、大変苦労《たいへんくろう》したらしい。私《わたし》はこの祖母《そぼ》から溺愛《できあい》に等しい愛情《あいじょう》を受けて育った。

「おばあちゃん、これからはずーっと一緒《いっしょ》やろ。昼も晩《ばん》も」

「そうやで」

「一緒《いっしょ》にテレビ見よな」

「うん、見よ見よ」

「おばあちゃんの部屋はどこにするのん」

「おばあちゃんは足が悪いから、下の部屋や」

「お父ちゃんとお母ちゃんの部屋も、私《わたし》の部屋も二階やけど、寂《さび》しくない？」

「寂《さび》しいなぁ。みっちゃん、たまにおばあちゃんのとこに寝《ね》にくるか？」

「うん、そうする、そうする」

引《ひ》っ越《こ》しをした日、私《わたし》は祖母《そぼ》の部屋で一緒《いっしょ》に寝《ね》ることにした。転居《てんきょ》のせいもあるが興奮《こうふん》してなかなか寝《ね》つけない。横にいる祖母《そぼ》に話しかけた。

「おばあちゃん。私《わたし》、明日《あした》から、新しい学校やねん」

「そうやな」

「どんな学校やろ。友達《ともだち》できるかな」

「みっちゃんやったらすぐに仲《なか》よしになれるよ。心配しいな」

「友達《ともだち》できたら、家に遊びにきてもらってもええ?」

「そうや来てもらい来てもらい。おばあちゃん、おいしいお菓子《かし》作っとくから」

「わらびもちがええわ。私《わたし》、おばあちゃんが作ってくれるお菓子《かし》、大好《だいす》きやねん」

私《わたし》は、祖母《そぼ》と一緒《いっしょ》にいられることがうれしくて、一人ではしゃいでいた。そして、このとき、この幸せはずっと続《つづ》くものと思っていた。

「もう遅《おそ》いから、早《はや》よ寝《ね》え」

「うん、もう寝《ね》る」

〈どんな学校かなぁ～、ええ友達《ともだち》できたらええのになぁ～〉

希望《きぼう》に胸《むね》を膨《ふく》らませ、眠《ねむ》りについた。


翌日《よくじつ》、初《はじ》めて転校先の学校の門をくぐった。真新しく見える校舎《こうしゃ》の前には花壇《かだん》があり、色とりどりの花が咲《さ》いていた。

〈きれいな学校やなぁ～〉

そう思った。が、きれいなのは見かけだけだということを、後になって身をもって思い知らされようとは、このとき、夢《ゆめ》にも思わなかった。

〈よかった。きれいな学校で。これから三年間ここに通うんや。転校するのんちょっと不安《ふあん》やったけど、よかった。ラッキ～〉

私《わたし》は、見た目の印象《いんしょう》がよかったので、うれしくなった。そして、一日も早く友達《ともだち》をつくりたいと思った。

朝登校する前に、母から、「担任《たんにん》の先生が待ってはるから、最初《さいしょ》に職員室《しょくいんしつ》に行くんやで」と言われていたので、上履《うわば》きにはきかえてすぐに職員室《しょくいんしつ》をのぞいた。中には、十五人ほどの人がおり、机《つくえ》の上の書類《しょるい》を片《かた》づけたり、二、三人でお茶を飲みながら楽しそうに話をしていたり、忙《いそが》しそうに早歩きで各机《かくつくえ》にプリントを配ったりしていた。

〈にぎやかやなぁ～、担任《たんにん》の先生ってどの人やろ？〉

私《わたし》は、入り口近くの机《つくえ》の前で、本を読んでいた先生に声をかけた。

「あのぉ～、今日から登校することになっています……」

「あっ。転校生ね。聞いてるわよ。さあ中に入って」

そう言いながら手招《てまね》きをしてくれた。そして担任《たんにん》の教師《きょうし》の席《せき》まで案内《あんない》してくれた。

担任《たんにん》の教師《きょうし》は机《つくえ》に向かい、なにか難《むずか》しそうな本を読んでいた。

「はじめまして」

「やあ」

担任《たんにん》の教師《きょうし》はそう言ったあと、しばらくそのあたりで待つように言った。教師《きょうし》になって数十年、専門《せんもん》は体育。スポーツ刈《が》りにしていたが、背《せ》が高くやせており、神経質《しんけいしつ》そうでスポーツをしているタイプには見えなかった。どちらかといえば数学の教師《きょうし》という感じがした。

〈なんか話をしづらそうな先生やな。前の学校の体育の先生と、えらい感じがちがうわ。でも、第一印象《だいいちいんしょう》で決めつけたらあかんなぁ～、ええ先生かもしれへんし……〉

待っている間、いろいろ想像《そうぞう》した。

チャイムが鳴り、私《わたし》は担任《たんにん》の教師《きょうし》に連《つ》れられて、教室に入った。教壇《きょうだん》のところで、

「はじめまして、今日からよろしくお願《ねが》いします」

と挨拶《あいさつ》したあと、指定された自分の席《せき》に座《すわ》った。

やはり転校生がめずらしいのか、みんな興味《きょうみ》深げな顔つきでまじまじと見る。

休み時間になると、かわるがわる生徒《せいと》が声をかけてきた。

「どこから転校してきたん？」

「なにかわからんことがあったら、私《わたし》になんでも聞いて」

「クラブもう決めた？　よかったら、私《わたし》と同じバレー部に入れへん？」

「なに言《ゆ》うてんの。読書クラブのほうがええって」

「そこでもめたらあかん。それより卓球《たっきゅう》がええよ」

「もう、そんなに急に言われたら困《こま》るやんな」

私《わたし》の周《まわ》りにみんな集まってきてくれて、楽しかった。

〈みんないい人そうやわ。よかった……〉

しかし、その楽しさは、長くは続《つづ》かなかった。


しばらくして、陰湿《いんしつ》ないじめを受けるようになった。同じクラスのA子に睨《にら》まれたことが原因《げんいん》だった。A子はクラス、いや学年で番長格《ばんちょうかく》の女生徒《じょせいと》だった。髪《かみ》は茶色で狼《おおかみ》カット。きつい目つきをしていて、目と目が合ってもニコリともせず、そこにいるだけで人に威圧感《いあつかん》を与《あた》える。小学生の頃《ころ》から目立った存在《そんざい》で、上級生に〝やき〟を入れられて、それ以降《いこう》、不良《ふりょう》仲間《なかま》と交際《こうさい》していると、転校してきた日に、クラスの女生徒《じょせいと》から聞いた。

〈睨《にら》まれんようにせなあかん〉

その話を聞いたときはそう思ったが、なにもしなければ大丈夫《だいじょうぶ》、まさか睨《にら》まれることはないと思い、それほどA子を意識《いしき》しなかった。

ところが、そのまさかが起きた。A子に睨《にら》まれてしまった。

転校生なので、最初《さいしょ》はみんなからちやほやされることもあり、私《わたし》も得意《とくい》げになっていたところがあったのかもしれない。

A子が話しかけてきたのに私《わたし》が返事をしなかった、たったそれだけの理由で、その後の私《わたし》の人生を大きく変《か》えてしまうとは、夢《ゆめ》にも思わなかった。

最初《さいしょ》は、A子とその仲間《なかま》に無視《むし》されたり、すれ違《ちが》うときにわざとぶつかったりされる程度《ていど》だった。このときは、友達《ともだち》と呼《よ》べる子もいたし、さほど気にはしていなかった。しかし、何日も経《た》たないうちに、クラスの全員が無視《むし》をするようになった。

ひとりぼっち

朝、教室に入ると、みんなの様子がなんだかよそよそしい。不審《ふしん》に思いながら、自分の席《せき》に行き、机《つくえ》の上に鞄《かばん》を置《お》いた。毎朝一緒《いっしょ》におしゃべりをしていた隣《となり》の席《せき》の女の子が登校してきたので、いつものように声をかけた。

「おはよう、昨日《きのう》の〝欽《きん》どこ〟見た？」

当時、〝欽《きん》ちゃんのどこまでやるの！〟というテレビ番組が人気だった。そして放送日の翌日《よくじつ》には、番組を見た感想をいろいろと話していた。なにも返事が返ってこなかったので、また声をかけた。

「おはよう」

「…………」

「聞こえへんの？」

「…………」

「なあ、どうしたん。見いひんかったん？」

「もぉ～、話しかけんといて」

しつこく聞かれて、その子は、さも、うっとうしそうにそう言った。私《わたし》は理由がわからなかったから、なおも聞いた。

「どうしたん？」

「話しかけんなって言《ゆ》うてるやろ」

「なんでやのん？」

「ひつこいなあ〜」

「私《わたし》、なにかしたん？」

「自分の胸《むね》に聞いてみたら」

と、突《つ》き放《はな》すように言った。そして、自分の机《つくえ》の上に鞄《かばん》をドスンと置《お》いて、他《ほか》の生徒《せいと》のところに行き、楽しそうにしゃべり始めた。

「おはよう」

「おはよう」

「昨日《きのう》の〝欽《きん》どこ〟見た？」

「塾《じゅく》で見られへんかってん」

「おもしろかったのに」

「え〜、ほんま〜、見たいわあ〜、ビデオ録《と》ってる？」

「うちとこビデオないねん。あきこのとこあるから聞いといたろか？」

「ほんま、ありがとう。恩《おん》にきるわ」

〈聞くだけで、恩《おん》にきてくれるの？　私《わたし》、そのビデオ持ってるよ。今すぐ持ってきたら私《わたし》と

しゃべってくれる?〉

心の中で無駄《むだ》な問いかけをしていた。

——自分の胸《むね》に聞いてみたら——

胸《むね》に聞いてみたが思い当たらない。前日まで、その子とは仲《なか》よくおしゃべりしていた。その子の気に障《さわ》ることなんか、なにも言っていないし、なにもしていない。昨日《きのう》帰るときも「また明日《あした》ね。バイバイ」と気持ちよくわかれたのに。なんでやろ。

別《べつ》の子が登校してきたので、話しかけた。

「おはよう」

「…………」

「おはよう」

「…………」

その子は下を向いたまま黙《だま》っている。

「なぁ〜、どうしたん?」

「べつに」

ちらっと私《わたし》の顔を見たあと、すぐに目を逸《そ》らして他《ほか》の生徒《せいと》のところに駆《か》け寄《よ》った。

話をしてくれなくなったのは、その子たちだけではなかった。

それ以後《いご》、私《わたし》が教室に入ると、男女を問わずクラスのみんなは蜘蛛《くも》の子を散《ち》らすように避《さ》けていった。話しかけても返事もしてくれない。

〈A子が原因《げんいん》やろか……〉

それしか思い当たることがなかった。

話をする相手がいないので、いつもひとりぼっちだった。休み時間、一人で教室にいるのは辛《つら》いから、校庭を散歩《さんぽ》して時間をつぶした。

いちばん辛《つら》かったのは昼休みだった。昼はかならず教室で食べなければならない。それぞれ仲《なか》のいい子が集まって、楽しくおしゃべりをしながら昼食をとる。昨日《きのう》まで私《わたし》もクラスの仲《なか》のいい子と一緒《いっしょ》に食べていた。私《わたし》のピーターラビットのお弁当箱《べんとうばこ》で話がはずんだ。

「わぁ～、かわいいお弁当箱《べんとうばこ》やなぁ～」

「ほんまや、どこで買《こ》うたん？」

「お母ちゃんと一緒《いっしょ》に阪急《はんきゅう》に行ったときに買《こ》うてん」

「ええなぁ～、うちのお母ちゃん、阪急《はんきゅう》に行けへんもん。行きたいって言《ゆ》うたら自分で勝手に行けって言われるわ。ははは ぁ～」

「かわいそう～、うちは阪神《はんしん》なんや。お父ちゃんもお母ちゃんも大の阪神《はんしん》ファンで、百貨店《ひゃっかてん》も阪神《はんしん》しか行けへんねん」

「すごいなぁ～、しゃあけど、昨日《きのう》、試合《しあい》負けたな」

「ええねん、勝っても負けても阪神《はんしん》なんじゃ！」

「その気持ち、よ～わかる」

楽しかった……。本当に楽しかった。

私《わたし》の席《せき》の近くで、昨日《きのう》まで一緒《いっしょ》に食べていた女生徒《じょせいと》が二人、楽しそうに話をしながら食べている。

「今日はパン？」

「うん。おかんが風邪《かぜ》ひいて寝《ね》込《こ》んでるから、弁当《べんとう》作ってくれへんねん」

「うちなんか、ずーっと作ってくれへん。しかたないから自分で作ってんねん」

「うわ～、強烈《きょうれつ》やな。でもおいしそうやん。ウインナー一個《こ》ちょうだい」

「そのドーナツとかえたるわ」

「どあつかましい。これは大枚《たいまい》三十円も出して買ったんじゃ。あはは～」

「よおっ。太《ふと》っ腹《ぱら》」

〈楽しそうやな~、昨日《きのう》まで私《わたし》もあそこで一緒《いっしょ》に食べてたのに……。こっちに来たらって声かけて……くれへんかなぁ……くれへんわな。もし今から私《わたし》がそっちに行ったら、あの子らなんて言《ゆ》うやろ。いや、なんにも言わんと、きっと無視《むし》するんやろな。二人で他《ほか》の席《せき》に行くかもしれへんなぁ~、よけいにみじめになるだけやから行くのんやめとこ……〉

私《わたし》は、自分の席《せき》から動くこともなく、息を殺《ころ》しながらお弁当《べんとう》を食べた。なにを食べても味気ない……ひとりぼっちで食べるお弁当《べんとう》。楽しかった昼休みが地獄《じごく》に変《か》わった。

落書き

無視《むし》するだけでは飽《あ》き足《た》らなくなったのか、いじめの内容《ないよう》が具体的《ぐたいてき》になった。机《つくえ》に名前入りの落書きをされるようになった。

朝、教室に入ると、私《わたし》の机《つくえ》の上に鉛筆《えんぴつ》で、

「私《わたし》はアホです。嫌《きら》われてま~す。よかったらさそってください。安いですよ。〇年〇組みつよ」

と落書きがされていた。

それを見て私《わたし》が、はっとしていると、周《まわ》りで様子を見ていた生徒《せいと》がくすくす笑《わら》った。私《わたし》は、すぐに消しゴムで消した。

〈よかった。消えた、消えたわ〉

自分の机《つくえ》に書かれていた落書きを消し、ほっとしたところで周《まわ》りを見ると、その生徒《せいと》たちはまだくすくす笑《わら》っている。

〈まだ、どっかに落書きがされているんやろか?〉

教室の後ろにあるロッカーや、他《ほか》の生徒《せいと》の机《つくえ》の上を全部見たが、それ以外《いがい》に落書きは見当たらない。不審《ふしん》に思いながらも授業《じゅぎょう》が始まるので席《せき》に戻《もど》った。授業《じゅぎょう》が始まっても、その生徒《せいと》たちは、私《わたし》のほうをちらっと見ては、得意《とくい》そうな笑《え》みを浮《う》かべている。

その理由に気がついたのは、三時間目の美術《びじゅつ》の時間だった。美術室《びじゅつしつ》に入ると、後ろのほうの机《つくえ》に、同じような落書きが書かれてあった。

〈こんなん、他《ほか》のクラスの子に見られたら大変《たいへん》や〉

その授業《じゅぎょう》が終わったあと、落書きを消した。

でも、次の日にはまた同じように落書きがされていた。それでも鉛筆《えんぴつ》で書かれている間は消しゴムで消して歩いた。

そのうち消しゴムで消せないように彫刻刀《ちょうこくとう》などで落書きをされるようになった。しかも、全校生徒が使う美術室《びじゅつしつ》や家庭科の教室の机《つくえ》に……。

その落書きを見た他《ほか》の学年の生徒《せいと》まで、わざわざ教室をのぞきにきては、

「〝うり〟をしてんのどの子？」

「あの子やで」

と、私《わたし》のほうを見て指をさす。

〈えっ、私《わたし》のこと？ 〝うり〟って言《ゆ》うたら売春のことやろ？ なに言《ゆ》うてんねんやろ〉

恥《は》ずかしくて、自分の席《せき》にじっと座《すわ》ったままうつむいていると、その生徒《せいと》たちは、

「机《つくえ》に自分の名前まで書いて、アホちゃうか」

「でも安いねんて」

「誰《だれ》か紹介《しょうかい》してあげたら」

「そうやな、考えとこか。あはは～」

「でも、なんかなまいきそうな子やな」

「ほんまやな」

「〝やき〟入れたらな、あかんのちゃう」

「そのときは呼《よ》んでな。楽しみやわ〜」

と、半ば脅迫《きょうはく》めいたことを言う。

〈私《わたし》とちがう。ちがうねん。その落書きは、私《わたし》が書いたんとちがうねん……〉

そう言いたいが、怖《こわ》くて声に出せない。

私《わたし》は恥《は》ずかしさと恐怖《きょうふ》も入り交じり、なんとかその落書きを消そうと思った。そして放課《ほうか》後《ご》、誰《だれ》もいなくなった教室で、落書きが書かれている机《つくえ》の前に座《すわ》り、消す方法《ほうほう》を考えた。

〈ほんまに深く彫刻刀《ちょうこくとう》で彫《ほ》ってあるわ。これやったら彫刻刀《ちょうこくとう》かヤスリで削《けず》らんと、消えへんわ。だけど、今日持ってきてないし……どうしよう……〉

いい方法《ほうほう》が思いつかない。せめて自分の名前だけでも消そうと思い、親指の爪《つめ》でこすった。何度も何度も削《けず》るようにこすった。爪《つめ》の間に古びた机《つくえ》の木の皮が刺《さ》さる。

どうしても消えない。必死《ひっし》になって消そうとしていたためか、教室の入り口のところで、A子とその仲間《なかま》が集まって私《わたし》の様子を見ていたことにまったく気がつかなかった。

「こいつ〜、机《つくえ》に傷《きず》をつけとおる」

A子が一オクターブ高い声で言った。それに合わせて仲間《なかま》の女生徒《じょせいと》たちも好《す》き勝手《かって》なことを言い出した。

「ほんまや」

「学校のものに傷《きず》をつけてはだめで〜す」

「先生に言《ゆ》うたろ〜」

「でも、こいつ、なんか〝ちくり〟よるのとちがうか」

「ちくったら、どうなるか教えといたほうがいいかな」

「そうやな」

「丸坊主《まるぼうず》になってもらおか」

「ストリップショーをやらしてもいいな」

「屋上の手すりからつり下げるとか……」

「おおこわ、私《わたし》はそんなことようせんわ。ホホホ〜」

「A子ちゃん、人間できてるもんな」

高々と笑《わら》う声が聞こえた。そして楽しそうに帰っていった。

〈先生には絶対《ぜったい》に言われへん……〉

そのとき、私《わたし》はそう思った。

ゴミくず

その日はお弁当《べんとう》を持ってこなかったので、四時間目の授業《じゅぎょう》が終わってからパンを買いにいった。昼、校舎《こうしゃ》の中庭で待っていると、近所のパン屋さんが軽トラックでパンを売りにくる。私《わたし》は他《ほか》の生徒《せいと》と顔を合わすのがいやだったので、混雑《こんざつ》が解消《かいしょう》する頃《ころ》を見計らって行った。

「おっちゃん。メロンパン一つちょうだい。それとコーヒー牛乳《ぎゅうにゅう》も」

「悪いなぁ～、メロンパン、もうしまい！　よう売れるからもっと早《は》よ来てくれなあかへん」

「ふ～ん。ほな、ジャムパンちょうだい」

「はいよ。おおきに。今度は早《は》よ来てな」

「うん」

〈早《は》よ来てって言われてもなぁ……〉

教室に戻《もど》ると、机《つくえ》の上に置《お》いていたスチール製《せい》の筆箱がなくなっていた。その中には祖母《そぼ》からもらったお守りが入っていた。体の弱かった私《わたし》の身を案《あん》じて持たせてくれたものだった。

〈ない、ない、どこに行ったんやろ……〉

必死《ひっし》に捜《さが》した。鞄《かばん》の中や机《つくえ》の中を何度も何度も捜《さが》した。見つからない。そのとき、後ろのほうから視線《しせん》を感じた。そのほうを見ると四、五人の女生徒《じょせいと》がいて、その中の一人が私《わたし》を見てニヤッと笑《わら》った。その子は、A子の仲間《なかま》ではないが、取《と》り巻《ま》きの一人で、いつもA子のご機嫌伺《きげんうかが》いをしていた。

〈あの子……A子の……〉

いやな予感がした。

〈もしかして……〉

私《わたし》はあわてて教室の隅《すみ》まで駆《か》け寄《よ》り、そこに置《お》いてあるゴミ箱をおそるおそるのぞいた。

「あっ……」

手で口を覆《おお》った。

ゴミくずと一緒《いっしょ》に、真っ二つに割《わ》られた筆箱と、その中に入っていたシャープペンシル、消しゴム、赤ペンとお守りが捨《す》てられていた。

〈お守りがゴミ箱の中に……なんでや……なんでやのん〉

私《わたし》はその場にしゃがみ込《こ》んだ。捨《す》てられていたものを右手で一つ一つ拾って膝《ひざ》の上にのせ、手でなでるようにしてお守りについていたほこりを払《はら》った。そして握《にぎ》りしめた。

〈おばあちゃんからもらったのに……おばあちゃんに、なんて言《ゆ》うたらええんやろ〉

祖母《そぼ》に申《もう》し訳《わけ》ない気がした。

さっきの女生徒《じょせいと》たちの視線《しせん》を感じる。

〈あの子らがやったんや……間違《まちが》いない〉

そう確信《かくしん》を持った。でも証拠《しょうこ》がない……。

私《わたし》は、席《せき》に戻《もど》り、拾い集めたものを机《つくえ》の中に入れ、お守りを鞄《かばん》の中にしまい込《こ》んだ。そして、イスに座《すわ》り、買ってきたジャムパンを一口齧《かじ》ったが、喉《のど》を通らない。

〈食欲《しょくよく》ないわ。なんか息苦しいなあ……〉

その場にいることに耐《た》えられなくなった私《わたし》は、新鮮《しんせん》な空気を吸《す》おうと思い、食べかけたパンを残《のこ》したまま、教室を出た。校庭をぶらぶら歩いた。花壇《かだん》には色とりどりの花が咲《さ》いていた。

〈これは〝あじさい〟、あれは……えーっと、なんちゅう名前の花やったかなぁ？　そうや〝パンジー〟や。きれいに咲《さ》いてるわ……〉

花を眺《なが》めているうちに、気分も少しおさまったので、教室に戻《もど》った。

教室の中に入って自分の席《せき》に戻《もど》るなり、愕然《がくぜん》とした。机《つくえ》の上が、ゴミだらけになっていた。呆然《ぼうぜん》と突《つ》っ立《た》っている私《わたし》の姿《すがた》を見て、さっきの女生徒《じょせいと》たちが、聞こえるように言った。

「さっき、ゴミを漁《あさ》っていたから、かわいそうや思うて、私《わたし》らが、代わりにゴミ集めたったんや」

「そうやそうや、私《わたし》らに感謝《かんしゃ》してほしいわ」

「これからも毎日集めたるからな」

「ゴミくずが、よう似合《にあ》うわ」

「ほんまや」

楽しそうに笑《わら》いながらしゃべっている。

〈もうすぐ授業《じゅぎょう》が始まる。先生が来るまでに片《かた》づけないと……〉

先生に見つかったら絶対《ぜったい》に理由を聞かれる。なんでもない、ととぼける自信《じしん》はない。泣《な》いてしまうかもしれない。もし本当のことを言ったら〝ちくり〟と言われて、もっとひどい目にあう。

——丸坊主《まるぼうず》、ストリップショー、屋上の手すりからつり下げる——

A子たちの声が頭の中でこだました。

私《わたし》は、ばらまかれていたゴミくずを、そばにあったゴミ箱に入れた。机《つくえ》の上にはコーヒー牛乳《ぎゅうにゅう》がこぼれ、他《ほか》のゴミと混《ま》ざって汚《よご》れていた。教室の後ろにある雑巾《ぞうきん》を取りにいこうと二、三歩踏《ふ》み出《だ》したとき、近くにいた生徒《せいと》に足をひっかけられた。私《わたし》はその場に転んだ。

「痛《いた》っ!」

転んだ拍子《ひょうし》に両膝《りょうひざ》を擦《す》りむいた。うっすらと血がにじむ。それを見てその生徒《せいと》は、

「あっ。ご・め・ん。私《わたし》、脚《あし》が長いから。だいじょーぶう?」

笑《わら》いながら言った。

私《わたし》はスカートの汚《よご》れを払《はら》って自分の席《せき》に戻《もど》った。そして、雑巾《ぞうきん》を取りにいくのをあきらめ、自分のハンカチで、机《つくえ》の汚《よご》れを拭《ぬぐ》った。なにも言えない自分が情《なさ》けなかった。

濡《ぬ》れネズミ

その日は、お腹《なか》の調子が悪かった。私《わたし》は風邪《かぜ》をひくとよくお腹《なか》をこわした。休み時間にトイレに入り鍵《かぎ》をしめると、トイレの入り口のほうでなにやらひそひそ話をしているのが聞こえた。気になったがしゃがんだままの状態《じょうたい》でいると、ドアの外から突然《とつぜん》、

「バシャー」

という音とともに水が降《ふ》ってきた。

「キャ〜」

バケツ一杯《ぱい》分もあろうかという分量《ぶんりょう》の水を頭からかぶった私《わたし》は、びしょ濡《ぬ》れになった。

その直後、「やった、やった」という声とともに、何人かの走り去る足音が響《ひび》いた。

立ち上がって、おそるおそるトイレのドアを開けた。そこにはもう誰《だれ》もいなかった。

〈なんで、なんでこんな目にあわなあかんのやろ。こんなずぶ濡《ぬ》れでは教室に戻《もど》れない。どうしよう……〉

トイレの手洗《てあら》い場まで来て鏡《かがみ》を見た。そこにはみじめな自分の姿《すがた》が映《うつ》っていた。

〈いっつもいっつも、なんでこんな目にあわなあかんのやろ、私《わたし》がなにか悪いことした？〉

その場にうずくまって泣《な》いた。そのとき、目ざとく私《わたし》を見つけた女生徒《じょせいと》が、

「きったね～」

と騒《さわ》ぎながら他《ほか》の生徒《せいと》を呼《よ》びにいった。あっという間に数人の生徒《せいと》に取《と》り囲《かこ》まれた。

「わー濡《ぬ》れネズミや」

「よう似合《にあ》うわ」

「ほんま、よう似合《にあ》う」

「水もしたたる濡《ぬ》れネズミ、てかぁ～」

「うまい」

「べんじょ、べんじょ、これからこいつのこと、べんじょと呼《よ》ぼか」

その中の一人が親指と人差《ひとさ》し指を合わせてまるを作り、

「グ～、やね」と得意《とくい》そうにポーズをとった。

授業《じゅぎょう》の始まるチャイムが鳴ったので、生徒《せいと》たちはあわてて教室に戻《もど》った。私《わたし》は教室に戻《もど》らず、そのまま保健室《ほけんしつ》に行った。

「どうしたん？　こんなに濡《ぬ》れて……」

保健室《ほけんしつ》の先生は、タオルで体を拭《ふ》いてくれた。

「目が覚《さ》めへんかったので顔を洗《あら》いました。そのとき、友達《ともだち》が声をかけてきたので振《ふ》り向《む》いたら、蛇口《じゃぐち》にあたって頭から水をかぶった状態《じょうたい》になりました」

見《み》え透《す》いた嘘《うそ》をついた。そのまま黙《だま》りこんだ私《わたし》を見て、先生はそれ以上《いじょう》、なにも聞かなかった。そして、教室に私《わたし》の鞄《かばん》を取りにいってくれた。

「しんどかったら、いつでも来ていいよ」

先生はそう、やさしく言ってくれた。

〈先生に、いじめられていることを話してみようかな……〉

一瞬《いっしゅん》そう思った。が、もし担任《たんにん》の教師《きょうし》に報告《ほうこく》されたら……。

――丸坊主《まるぼうず》、ストリップショー、屋上の手すりからつり下げる――

また、A子たちの声が頭の中でこだました。

〈あかん。言《ゆ》うたらあかん〉

結局《けっきょく》、なにも言えなかった。

一時間ほどベッドに横になったあと、そのまま家に帰った。

登校拒否《きょひ》

次の日、とうとう私《わたし》は学校に行けなくなった。

朝、七時過《す》ぎ、いつものように母に起こされた。私《わたし》は、とっくに目が覚《さ》めていたが、ベッドの中にもぐっていた。

「起きや、時間やで」

「…………」

「時間やで……」

「…………」

「時間」

「休む……」

「えっ」

「学校休む」

「なんでやのん」

「しんどいねん」

「どこがしんどいの」

「全部」

「全部ってどういうことやのん」

「風邪《かぜ》やねん。熱《ねつ》もあるし」

母は、救急箱《きゅうきゅうばこ》から体温計を取り出し、私《わたし》のわきにはさんだ。

「三十五度六分しかないやんか」

「……………」

「ずる休みしたらあかん」

「……………」

「学校行かなあかんやろ」

「しんどい言《ゆ》うたらしんどいねん」

頭からすっぽりと布団《ふとん》をかぶった私《わたし》を見て、母は、

「もう、しかたないな、明日《あした》はちゃんと学校行くんやで」

と、それ以上《いじょう》問いつめることはしなかった。

心配した祖母《そぼ》が、おじやをこしらえて、食べさせてくれた。

〈おばあちゃん、……ありがとう……〉

祖母《そぼ》は、いつでもどんなときでもやさしかった。


次の日も、休んだ。

今までこんなふうに休んだことなどなかったので、母も不審《ふしん》に思ったのか、

「学校で、なんかいやなことがあったんか？」

と心配そうに聞いてきた。

「べつに……」

と、私《わたし》はなにもないような顔をした。

〈母に言うと、父に知られるだろうし、そうなれば学校にも知られる。学校に知れたら、〝ちくり〟になる。あの子らに殺《ころ》される……〉

そう思った私《わたし》は、なかなかいじめられていることを言えなかった。

「それやったらいいけど」

「……」

「でも今日は、学校どうするの」

「今日もしんどいから休む」

「どこがしんどいの？」

「…………」

「そんなことしてたら勉強遅《おく》れるで」

「あとでちゃんとする」

そんなやりとりのあと、これ以上《いじょう》、言っても無駄《むだ》だと思ったのか、母は勤《つと》めに出かけた。

次の日もその次の日も休んだ。しかし、一週間も休んでいると、さすがに嘘《うそ》をつきとおせなくなった。

「やっぱり、学校でなんかあったんとちがうの？」

「…………」

「黙《だま》ってたらわからへんやろ」

「…………」

「お母ちゃん、学校の友達《ともだち》に聞きにいくで」

〈あかん……もう、隠《かく》されへん……〉

母の問いつめに、これ以上《いじよう》、黙《だま》っていられなくなり、いじめられていることを全部話した。

話を聞いた母は、最初《さいしよ》は黙《だま》っていたが、そのうち、

「なんで、もっと早《は》よ言わへんの」

と言って叱《しか》った。

〈言えるもんならとっくに言《ゆ》うてるわ……〉

心の中でつぶやいた。

その日の夜遅《おそ》くに帰宅《きたく》した父は、母から話を聞くなり激怒《げきど》して、

「教師《きようし》はなにをしてるんや」

と言って、担任《たんにん》の教師《きようし》の自宅《じたく》に電話をしていた。そして翌朝《よくあさ》には学校に電話をして校長先生にまで抗議《こうぎ》をしていた。父は、

「もう心配せんでいいからな。学校から電話がかかってくるまで、家におり」

と、不安《ふあん》そうな顔で様子を見ていた私《わたし》にそう言った。

ちくり

二、三日後、担任《たんにん》の教師《きようし》から、
「もう解決《かいけつ》したから、明日《あした》から学校に出てくるように」

と電話がかかってきた。帰宅《きたく》した父にそのことを話した。

「先生が明日《あした》から出てくるようにと言《ゆ》うてるけど、解決《かいけつ》したってほんまかな?」

「先生がそう言《ゆ》うてるんやから、大丈夫《だいじようぶ》やろ」

「……………」

「どないしたんや」

「だけど、あの先生ほんまにわかってくれてんのかな?」

「なんで、そう思うんや?」

「話しても、なんか通じへんというか……」

担任《たんにん》の教師《きようし》は、どことなく冷《つめ》たい感じのする人だった。一応《いちおう》、担任《たんにん》として生徒《せいと》の話は聞くがそれ以上《いじよう》のことはしない。どこか事務的《じむてき》。私《わたし》が初対面《しよたいめん》のときに感じたとおりの人だった。

父は、そんなことはまったく知らないので、こんなときでも一般論《いっぱんろん》を話す。

「そんなことないやろ」

「なんで?」

「学校の先生なんやから、生徒《せいと》のことはようわかってはるやろ」

「そうかなぁ~?」

「校長先生にもちゃんと言《ゆ》うたから、心配せんでもええ」

「校長先生か……」

校長先生がどういう人なのかはよくわからなかった。私《わたし》は、本当に解決《かいけつ》してくれたのか半《はん》信半疑《しんはんぎ》であったが、学校に行くことに決めた。

翌日《よくじつ》、学校に行き、電話で言われたとおり、真っ先に職員室《しょくいんしつ》に向かった。職員室《しょくいんしつ》のドアは開いたままの状態《じょうたい》だったので、中をのぞくと担任《たんにん》の教師《きょうし》は自分の席《せき》に座《すわ》っており、その前にA子が立っていた。

〈わっ、A子が来てる……〉

いじめを受けたときのことを思い出し、そのまま帰りたくなった。

が、〈逃《に》げたらあかん〉と思い、意を決して、

「失礼《しつれい》します」

と声をかけて中に入っていった。そして、

「先生おはようございます」

と言いながら担任《たんにん》の教師《きょうし》がいる方向へ歩いていった。そばまで行くと、A子は、一瞬《いっしゅん》、凍《こお》るような目で私《わたし》を見た。私《わたし》はその場で固《かた》まってしまった。

〈ほんまに解決《かいけつ》したんやろか？〉

不安《ふあん》で頭がいっぱいになる。そのとき、A子がニコリともせず、右手を私《わたし》のほうに差《さ》し出《だ》した。

私《わたし》が驚《おどろ》いていると、担任《たんにん》の教師《きょうし》は、

「仲直《なかなお》りの握手《あくしゅ》をしなさい」

と強い口調で言った。

〈仲直《なかなお》りの握手《あくしゅ》ってどういうこと。これは仲直《なかなお》りという問題とちがう。私《わたし》はこの子と喧嘩《けんか》してたんじゃない。一方的《いっぽうてき》にいじめられていたのに……〉

と納得《なっとく》がいかなかった。でもこれでいじめられなくなるのならと思い、私《わたし》は差《さ》し出《だ》された

A子の手を握《にぎ》った。

が、A子は握《にぎ》り返《かえ》してこなかった。

〈A子は仲直《なかなお》りしようなんて思ってないんや。教師《きょうし》から言われてしかたなく形だけ取りつくろっているんや〉

このときの、A子の手の生ぬるい感触《かんしょく》は今でもはっきりと覚《おぼ》えている。

担任《たんにん》の教師《きょうし》は、二人のそんな空気を読みとることができなかったのか、

「これで、仲直《なかなお》りや。よかったよかった」

と言いながら、机《つくえ》の上に置《お》かれてあったお茶を、おいしそうに飲んだ。

案《あん》の定《じょう》、これでもういじめられなくなると思ったのは、甘《あま》い考えだった。

教室に戻《もど》ると、A子は、仲間《なかま》の女生徒《じょせいと》のところに行き、

「あのがき、せんこうにちくりやがった」

と言って、これでもかというぐらい、すごい目つきで私《わたし》を睨《にら》んだ。仲間《なかま》の女生徒《じょせいと》も同じように睨《にら》んできた。さすがに、水をかけるなどの目に見えるいじめはなくなったものの、その後も、A子とその仲間《なかま》の生徒《せいと》は、相変《あいか》わらず私《わたし》の悪口を言いふらした。〝ちくり〟というレッテルを貼《は》って。

私《わたし》は、親に話してしまったことを後悔《こうかい》した。

親友

昭和五十四年四月、中学二年生になった。クラス替《が》えでA子とその仲間《なかま》の生徒《せいと》も別《べつ》のクラスになった。担任《たんにん》の教師《きょうし》も替《か》わった。初《はじ》めて担任《たんにん》を受け持つというその新任教師《しんにんきょうし》の専門《せんもん》は美《び》術《じゅつ》。顔じゅうニキビの痕《あと》だらけで、若《わか》いのに、口を〝への字〟に曲げている。

「初《はじ》めてクラスを受け持つことになった。なんでも相談してくれていいからな」

その教師《きょうし》の最初《さいしょ》の挨拶《あいさつ》だった。

〈なんかえらそうな感じやなぁ～、それに若《わか》さが感じられへん……この先生と一年間もつきあわなあかんのか……〉

と思ったが、A子ともう顔を合わせなくてすむし、私《わたし》は気持ちも新たに学校生活を楽しもうと思った。そして、クラスで仲《なか》のいい子が三人できた。三人グループのうちの一人が最初《さいしょ》に私《わたし》に話しかけてきてくれたことがきっかけとなって友達《ともだち》となり、他《ほか》の二人とも友達《ともだち》になった。四人いつも一緒《いっしょ》に行動していた。

「私《わたし》、マッチが好《す》きやねん」

「私《わたし》も」

「うちは、トシちゃんのほうがかっこええと思うわ」

「みんなガキやな、うちは野口五郎《のぐちごろう》や」

「うわ〜、おじん趣味《しゅみ》〜」

「ほっといて」

ほとんどアイドル歌手やテレビドラマの話題だったが、本当に楽しかった。放課後《ほうかご》も一緒《いっしょ》に遊ぶことが多かった。ショッピングセンターに一緒《いっしょ》に買い物に行き、四人お揃《そろ》いのバッグも買った。

〈やっと親友ができた……〉

うれしかった。

昼も四人で一緒《いっしょ》に食べた。

「今日もお弁当《べんとう》？」

「うん、私《わたし》のところはお父ちゃんが作ってくれるねん」

「ふ〜ん、うちは自分で作るねん」

「へぇ～、器用《きよう》やな。今度作り方教えてくれる？」

「ええよ、明日《あした》お弁当《べんとう》のレシピ持ってきたるわ」

「ほんま～、うれしい～」

「なあ、今日の放課後《ほうかご》ひまやったら、明日《あした》のお弁当《べんとう》のおかず一緒《いっしょ》に買いにいけへん？」

「行く、行く」

それまで一人で食べなければならなかった私《わたし》にとっては、なによりうれしかった。

当時、私《わたし》は薬を常用《じょうよう》していた。食後に薬を飲んでいるのを見て、その子たちは、不思議《ふしぎ》そうに聞いてきた。

「それ、なんの薬？」

「うん、ちょっと……」

「どっか悪いん？」

「背中《せなか》が時々痛《いた》くなるねん」

偏食《へんしょく》ばかりしていた私《わたし》は、体が弱く、病院通いをしていた。

「それ、どんな病気？」

「かっこ悪いから」

「ええやん」

「でも……」

「ええやんか。うちら親友やんか」

「うん……神経痛《しんけいつう》やねん。年寄《としよ》りみたいやろ……」

「そんなことない。でも、大変《たいへん》やなあ」

「うん。みんなに言わんといてな。なんか年寄《としよ》りみたいって笑《わら》われそうやから……」

「わかってるって」

この三人を心から親友と思っていた私《わたし》は、なんでも話をしていた。好《す》きな子の話もした。まだ一部の生徒《せいと》には無視《むし》をされたりしていたが、親友と呼《よ》べる友達《ともだち》ができたと思っていたので、そんなことは気にならなかった。


二学期になって、生徒《せいと》たちの家に、ひんぱんに若《わか》い女の声でいたずら電話がかかってくるようになった。私《わたし》の家にもかかってきていた。その日、たまたま仕事を休んでいた父が電話に出た。

「もしもし……」

「はい」

「おまえとこの子どもは万引きしてたぞ」

「お宅《たく》は、誰《だれ》ですか」

「売春もしてるぞ」

と言ったあとガチャンと切る。

何度もかかってきたので、学校にも警察《けいさつ》にも相談して、電話の会話を録音《ろくおん》できる装置《そうち》もつけてもらった。でも結局《けっきょく》、犯人《はんにん》は見つからなかった。

冬休み、四人で一緒《いっしょ》に集まったとき、その犯人《はんにん》の話題がでた。

「私《わたし》らで犯人捕《はんにんつか》まえたいな」

「ほんまやな」

「公衆《こうしゅう》電話から電話をしているやつを見つけるとか……」

「みんなに嫌《きら》われているやつの後をつけてみるとか……」

「だいたい犯人《はんにん》わかってんねんけどなぁ」

「うん、だいたいな」

三人が楽しそうに話をしていたので、私《わたし》も、

「えっ、犯人《はんにん》わかってんの?」

と聞いた。するとその三人は顔を見合わせたあと、

「三学期になったらわかると思うわ」

と言った。

〈なんで今教えてくれへんのやろ?〉

と不思議《ふしぎ》に思ったが、この三人のことを親友と思い、心から信用《しんよう》していた私《わたし》は、さほど気にとめることもなく、そのままおしゃべりをしていた。そして、

「私《わたし》らで電話を逆探知《ぎゃくたんち》できる方法《ほうほう》ないかなぁ~」

探偵《たんてい》になったような気がして得意《とくい》げにそう言った。三人が私《わたし》のことを言っていたとは知らずに……。

第二章　自殺未遂《じさつみすい》

裏切《うらぎ》り

昭和五十五年一月八日、その日は始業式のため、学校は午前中で終わった。帰宅《きたく》しようと下駄箱《げたばこ》から靴《くつ》を出そうとしたとき、同級生の女生徒《じょせいと》に、

「あのな、あんたにちょっと話があるねん」

と呼《よ》び止《と》められた。

私《わたし》は、わけがわからないまま、その女生徒《じょせいと》の後について教室に入ると、そこには何人かの生徒《せいと》がおり、その中に三人の親友もいた。

「なに、なんの用?」

と聞くと、その中の一人が、

「あんたやろ、いたずら電話の犯人《はんにん》」

と言いがかりをつけてきた。いきなり言われて驚《おどろ》いたが、なにを言ってるんやろと思い、

はっきり否定《ひてい》した。

「私《わたし》とちがう。いたずら電話なんかしてへん」

「電話された子が、あんたの声によう似《に》てるて言《ゆ》うてたわ」

「その電話やったら私《わたし》の家にもかかってきてんねん」

「知るか、そんなこと」

「絶対《ぜったい》に私《わたし》とちがう」

「なに言《ゆ》うてんねん。あんたが公衆《こうしゅう》電話から電話してんの見た子がおるねん」

「いつ頃《ごろ》の話やのん。公衆《こうしゅう》電話から電話したことあるけど、それはちがうねん」

「電話してるんやんけ」

「用事があって電話してたんや。いたずら電話してたんとちゃう」

「そんなことど~でもええわ。あんたに決まってる。私《わたし》らがそう決めたんや」

いくら、私《わたし》が、

「ちがう。犯人《はんにん》じゃない」

と言っても聞き入れてもらえなかった。そして、いたずら電話の話は終わり、別《べつ》の話を一方的《いっぽうてき》にしてきた。

「ほんまのこと言《ゆ》うたるわ」

「私《わたし》ら、あんたが転校してきたときからむかついとってん」

「ほんまや」

「うっとうしい」

「なまいきなんじゃ」

「ほんま、なまいきなんじゃ」

「あんた、神経痛《しんけいつう》とかいう病気らしいな」

「おばはんか。早《はよ》よ死ね」

「○○のことが好《す》きらしいけど、○○は、あんたみたいな病気持ちは嫌《きら》いやって言《ゆ》うとったわ、あははは～」

〈なんでこの子らが、私《わたし》の病気のこと知ってるんやろ。好《す》きな子のことも。誰《だれ》にも言《ゆ》うてへんのに……誰《だれ》にも……あっ！　そうや、あの三人には言《ゆ》うてる……〉

そのとき、私《わたし》は三人の顔を順番《じゅんばん》に見た。三人とも得意《とくい》そうな笑《え》みを浮《う》かべていたっ勝《か》ち誇《ほこ》ったような顔。生まれて初《はじ》めて、あんないやな笑顔《えがお》を見た。

〈この三人が、全部しゃべったんや……〉

すべてを理解《りかい》した。私《わたし》がじっと三人のほうを睨《にら》んでいると、他《ほか》の生徒《せいと》はなおも、

「あんたなんか人間を好《す》きになる資格《しかく》なんかあらへんのじゃ」

「ほんまじゃ」

「犬でも相手しとけ。このビョーキ持ち」

かわるがわる口汚《くちぎたな》く罵《ののし》った。


〈この子ら、いたずら電話の犯人《はんにん》が私《わたし》かどうかはどうでもいいんや。ただいじめる口実がほしかっただけなんや……〉

私《わたし》は、そのとき、いじめられていたときのことを思い出していた。

〈無視《むし》されたり、陰口《かげぐち》言われたり、落書きされたり、ものをゴミ箱に捨《す》てられたり、トイレで水をかけられたり、ほんまにひどいことばっかりされてきた。この子らになんの権利《けんり》があるんやろ……〉

そして、なによりも私《わたし》がショックだったのは、親友と思っていた三人が、まるで手のひらを返したように向《む》こう側《がわ》についたことだった。

〈ほんまに親友やと思っていたのに……親友やと……〉

そう思うから、これまで親にも言えないような秘密《ひみつ》や悩《なや》みを、なんでも言っていたのに、それが全部筒抜《つつぬ》けだった。

〈この子ら、私《わたし》と親友のふりをして、いろんなことを聞き出し、それをみんなに話して、今まで陰《かげ》で笑《わら》っていたんか。それに、冬休みのとき、今日呼《よ》び出《だ》すことを知っていて、あんなふうに話してたんか。騙《だま》したな。裏切《うらぎ》り者《もの》……〉

周《まわ》りを囲《かこ》まれている中で、この三人に対する憎《にく》しみが増《ま》してきた。そして、できることならこの場で三人を殺《ころ》してやりたいとさえ思った。

でも、できなかった。

私《わたし》は、両手をぐっと握《にぎ》りしめ、唇《くちびる》をかみしめた。涙《なみだ》がこぼれてきた。

それを見た生徒《せいと》は、

「あ〜、なんかすっとしたわ」

「便秘《べんぴ》がなおったみたいやな」

「汚《きたな》いな〜」

「明日《あした》はなに言《ゆ》うたろ〜」

「そうやな、うちらがこいつのこと、どれだけ嫌《きら》いか言《ゆ》うたろか」

「それやったら、なんぼ時間があっても足らへんなぁ」

「でも、こいつまた〝ちくり〟よるのんちがう？」

「そうなったらそうなったときのことや」

そう言ってその場で蹴《け》るまねをした。

私《わたし》は、くやしくて涙《なみだ》が止まらず、その場を後にした。後ろのほうから、

「ば〜か。アホは早《は》よ死ね」

「ほんまじゃ」

という声とともにその子たちの笑《わら》い声《ごえ》が聞こえてきた。

死ぬしかない

私《わたし》は、この学校に転校してきて、いじめられ続《つづ》けてきたことや、親友と思っていた者に裏《うら》切《ぎ》られたショックとで、家に帰るまでの道のり、いろいろな思いが頭の中を駆《か》けめぐった。

〈今日のことを両親に言うと、学校にも言うだろう。そうなると、また〝ちくり〟と言われて、もっとひどい目にあう。これまで耐《た》えてきたけど、もう限界《げんかい》や……もうあかん……死ぬ

しかない……死ぬしか……〉

そう思った私《わたし》は、家に帰って、二階の自分の部屋に入り、机《つくえ》の前に座《すわ》り、死ぬ方法《ほうほう》をあれこれ考えた。屋上から飛《と》び降《お》りようか、電車に飛《と》び込《こ》もうか、手首を切ろうか……。

〈でも普通《ふつう》に死んだんじゃ、あいつら何事もなかったようにぬくぬくと暮《く》らすやろう……それだけは我慢《がまん》できない。私《わたし》がどれだけ苦しんだか、思い知らせてやりたい……〉

私《わたし》は、切腹《せっぷく》をすることに決めた。当時の私《わたし》は、切腹《せっぷく》と割腹《かっぷく》の区別《くべつ》がつかず、お腹《なか》を刺《さ》すことが切腹《せっぷく》だと思っていた。そうすることに決めた私《わたし》は、左手の手首あたりをカミソリで切って血を出し、血で遺書《いしょ》を書いた。

〈あいつらだけは絶対《ぜったい》に許《ゆる》さへん……〉

——その場にいた生徒《せいと》の名前を全員書いた。そして、親友のふりをして私《わたし》を裏切《うらぎ》ったあの三人だけは絶対《ぜったい》に許《ゆる》さない。呪《のろ》い殺《ころ》してやる。お父ちゃん、お母ちゃん、おばあちゃん、ごめんね——

そんなふうに書いたあと、それを机《つくえ》の引き出しに入れて家を出た。

祖母《そぼ》は五年ほど前からリウマチで毎日通院しており、病院にでも行ったのか、家にはいなかった。

自宅《じたく》から五分くらい歩いたところに、スーパーマーケットがあった。そこで果物《くだもの》ナイフを購入《こうにゆう》した。少し歩いて国道二号線でタクシーをひろい、武庫川《むこがわ》の河川敷《かせんしき》に行った。武庫川《むこがわ》を選《えら》んだ特別《とくべつ》の意味はない。どこでもよかった。

武庫川《むこがわ》は川を境《さかい》に尼崎市《あまがさきし》と西宮市《にしのみやし》に分かれており、私《わたし》は尼崎《あまがさきがわ》側でタクシーを降《お》りた。しばらく歩いたが、河川敷《かせんしき》を人が散歩《さんぽ》したりしていて、自殺《じさつ》できるような目立たない場所がなかった。そこで私《わたし》は西宮《にしのみやがわ》側に歩いていった。

歩いていると、ぬかるんでいたがちょうど草が茂《しげ》った場所があった。

〈ここやったら、座《すわ》ったら周《まわ》りから見えへんわ、ここで死の……〉

制服《せいふく》を着たまま、ぬかるみに正座《せいざ》した。スカートを通りこして、下着までじめっと冷《つめ》たくなった。

〈絶対《ぜつたい》に許《ゆる》すもんか。許《ゆる》さない。復讐《ふくしゆう》してやる。私《わたし》がどんなに苦しんだか、思い知らせてやる……〉

私《わたし》は、果物《くだもの》ナイフを鞘《さや》から出し、右手に持ち、刃先《はさき》をお腹《なか》に向けた。そして、左手を添《そ》えた。

が、手がぶるぶる震《ふる》えてなかなか刺《さ》せない。怖《こわ》い……。やっぱり怖《こわ》い。しばらく構《かま》えたままの状態《じょうたい》でいた。

〈今やったら引き返せる。今やったら……〉

ナイフを握《にぎ》りしめた手の力をゆるめ、下におろそうとしたそのとき、私《わたし》をいじめたあの子たちの顔が次々と浮《う》かんできた。勝《か》ち誇《ほこ》ったような顔。笑《わら》い声《ごえ》……。

〈裏切《うらぎ》り者《もの》……絶対《ぜったい》に許《ゆる》さへん〉

その瞬間《しゅんかん》、裏切《うらぎ》った三人への恨《うら》みを込《こ》めて、一気に三か所刺《さ》した。みるみるうちにたくさんの血が滲《にじ》み出《だ》した。

私《わたし》は、そのまま座《すわ》っていることができなくなり、上半身をぬかるみに横たえた。

あの子たちの笑《わら》い顔《がお》が目に焼《や》きついて離《はな》れず、くやしさばかりがこみ上げてきた。

〈許《ゆる》さへん。絶対《ぜったい》に許《ゆる》さへん……〉

でも、なかなか意識《いしき》がなくならなかった。

当時はお腹《なか》を刺《さ》せばすぐに死ぬことができると思っていた。でも、なかなか死ぬことができないので、早く死んで楽になりたいと思い、横たわったままもう二か所、刺《さ》した。

それでも、なかなか意識《いしき》がなくならない。

〈痛《いた》い……痛《いた》い……苦しい……誰《だれ》か……誰《だれ》か助けて！〉

でも誰《だれ》も助けてくれない。

その日は、本当に寒い日だった。しかも、ぬかるみに体を横たえて、多量《たりょう》の出血もしていた。自分の力ではもう起き上がることもできない。

〈私《わたし》は、なんのために生まれてきたんやろ。なんでこんなことになったんやろ……こんなはずやなかった……こんなはずや……〉

そう思うと、本当にみじめだった。

苦痛《くつう》のなか、あれこれ考えていると、急に祖母《そぼ》のやさしい笑顔《えがお》が浮《う》かんできた。そして、

「みっちゃん……」

と、私《わたし》の名前を呼《よ》んでいるような気がした。

〈おばあちゃんに会いたい。家に帰りたい……〉

ちょうどそのとき、自転車に乗った中年の男性《だんせい》が近くを通り、こちらのほうをのぞき込《こ》むようにしているのが見えた。私《わたし》は思わず、

「助けて！」

と叫《さけ》んだ。

その男性《だんせい》は、しばらく私《わたし》の様子を見ていたが、そのまま自転車に乗ってどこかに行き、再《ふたた》びその男性《だんせい》が来ることも、救急車《きゅうきゅうしゃ》が来ることもなかった。おそらくかかわり合いになりたくなかったのだろう。そして私《わたし》は、

〈世の中こんなもんや、自分さえよければいいやつばかりや。自分さえよければ人はどうなったってかまへんのや。やっぱり死んだほうがええわ……死にたい〉

と思った。だけど、一度、浮《う》かんだ祖母《そぼ》の顔が消えなくて、

〈おばあちゃん、おばあちゃんに会いたい。もう一度、もう一度でいいから家に帰りたい……〉

という二つの思いが交互《こうご》に出てきた。

〈二時間前に戻《もど》ること、でけへんかな～〉

そんなことも思っていた。

命びろい

しばらくすると、今度は、男女のカップルが近くを通っていくのが見えた。これが最後《さいご》だと思い、もう一度叫《さけ》んだ。

「たす……け……て……」

思うように声が出ない。

〈やっぱりあかん……〉

あきらめかけたとき、その人たちは、私《わたし》に気がついたのか、そばに駆《か》け寄《よ》ってきてくれた。

血塗《ちまみ》れになっている私《わたし》を見て、大変驚《たいへんおどろ》いていたが、

「どないしたん。死んだらあかん。死んだらあかんで。今すぐ救急車《きゅうきゅうしゃ》呼《よ》ぶから……」

と声をかけてくれた。そして、男の人が走って公衆《こうしゅう》電話のあるところまで行き、すぐに救急車《きゅうきゅうしゃ》を呼《よ》んでくれた。女の人は、

「救急車《きゅうきゅうしゃ》すぐに来るから、頑張《がんば》るんやで、死んだらあかんで」

と、ずっと声をかけていてくれた。

私《わたし》は、その人がそばに来てくれたことで、ほっとしたのと同時に、またくやしさがこみ上げてきて、

「私《わたし》が死んだら、伝《つた》えてほしい。恨《うら》んで死んでいったということを……」

唇《くちびる》をぶるぶると震《ふる》わせながらそう言った。するとその女の人は、

「そんなこと言《ゆ》うたらあかん。生きなあかん。なにがあっても生きるんや。絶対《ぜったい》に助かるからあきらめたらあかん」

と言って、自分の着ていたコートを、冷《ひ》えきった私《わたし》の体にかけてくれた。

〈この人が、私《わたし》のクラスにいてくれたらな～〉

心からそう思った。

救急車《きゅうきゅうしゃ》が到着《とうちゃく》し、私《わたし》は、西宮救急《にしのみやきゅうきゅう》病院に運ばれた。病院に到着《とうちゃく》し、担架《たんか》で緊急処置《きんきゅうしょち》室《しつ》に運ばれる途中《とちゅう》、まだ意識《いしき》があった。

さっきの女の人に、

「死んだらあかん。生きなあかん」

とやさしく声をかけられたことで、ほっとしたことや、してしまったことの後悔《こうかい》から、

「迷惑《めいわく》をかけて、ごめんなさい」

と、そばにいた人に謝《あやま》った。

そのとき、泣《な》きはらした目をしている母の顔が飛《と》び込《こ》んできた。警察《けいさつ》から連絡《れんらく》を受けて駆《か》けつけたらしい。

緊急《きんきゅう》手術《しゅじゅつ》を受けた。千二百ミリリットルほど輸血《ゆけつ》し、刺《さ》し傷《きず》の深さは十センチ、うち一か所は肝臓《かんぞう》にまで達《たっ》していたが、救急車《きゅうきゅうしゃ》を呼《よ》んでくれた人と、医師《いし》のおかげで、一命は取《と》り留《と》めた。三日間集中治療室《ちりょうしつ》にいたあと、一般病棟《いっぱんびょうとう》に移《うつ》された。

私《わたし》のお腹《なか》には五か所の刺《さ》し傷《きず》と、みぞおちからおへそまで十五センチの手術痕《しゅじゅつあと》が残《のこ》った。

そして、肺《はい》に血液《けつえき》が溜《た》まっていたので、それを除《のぞ》くため、わきの下十二センチあたりのところに穴《あな》を開けて、そこから肺《はい》まで管《くだ》を通すことになった。メスを入れるあたりに注射器《ちゅうしゃき》で局部麻酔《ますい》がされた。看護婦《かんごふ》さん四人が、ベッドで寝《ね》ている私《わたし》の両手と両足を押《お》さえる。

〈なんで、なんでそんなに強く押《お》さえるの？　えっ、そんなに痛《いた》いの？　痛《いた》くないように麻《ま》酔《すい》したんとちがうの？　なんで……〉

私《わたし》は恐怖《きょうふ》でいっぱいになった。そのとき、主治医《しゅじい》の先生がやさしく声をかけてくれた。

「ちょっと痛《いた》いけど、心配せんでええよ。さあ今からメス入れるからね。さあメスが入ったよ」

メスが入ったときは全然《ぜんぜん》、痛《いた》くなかった。局部麻酔《ますい》がきいているからだった。

〈よかった。全然《ぜんぜん》、痛《いた》ないわ……〉

しかし、その直後だった。

「ぎゃぁ～、やめて～、やめて～、お母ちゃん、やめてもろて～」

私《わたし》は、病院じゅうに響《ひび》くほどの声をあげた。その瞬間《しゅんかん》、看護婦《かんごふ》さんが全身の力を込《こ》めて私《わたし》の手足を押《お》さえつけた。メスを入れるときより、直径《ちょっけい》一センチほどの管《くだ》を肺《はい》の中まで通すときのほうが激痛《げきつう》を伴《ともな》うのだった。三日後に管《くだ》をはずすときも同じ激痛《げきつう》が伴《ともな》った。

〈あの子らをどうしても許《ゆる》せへんから、復讐《ふくしゅう》するつもりで死のうと思ったけど、全部自分に跳《は》ね返《かえ》ってるやん。こんなん全然復讐《ぜんぜんふくしゅう》にならへんやん。アホやわ私《わたし》……〉

復讐《ふくしゅう》をするつもりで自殺《じさつ》という方法《ほうほう》を選《えら》んだが、災《わざわ》いは全部自分に跳《は》ね返《かえ》ってくるということを強く感じた。

病室には母が毎日つき添《そ》ってくれた。自殺未遂《じさつみすい》をしたことについては、母は、なにも言わなかった。主治医《しゅじい》の先生も看護婦《かんごふ》さんも、なにも言わない。いつも笑顔《えがお》でやさしくほほえんでくれる。みんなやさしい。気遣《きづか》ってくれているのが痛《いた》いほどわかる。私《わたし》は母に聞いた。

「お母ちゃん」

「ん？」

「学校、どうなってる？」

「どうって」

「みんな私《わたし》のこと知ってるのん？」

「…………」

「なあ。知ってるのん？」

「…………」

「新聞にのったんかなぁ」

「いらんこと心配せんでええ……」

母は、私《わたし》を動揺《どうよう》させないよう当日の新聞は一切《いっさい》見せてくれなかった。自殺《じさつ》をしようとした原因《げんいん》も聞かない。ただ、不安《ふあん》は隠《かく》しきれないようであった。

母が、ベッドのわきで果物《くだもの》ナイフでリンゴをむいていた。

〈上手やなぁ～、皮がつながってる……〉

皮を途中《とちゅう》で切らずにきれいにむいていたので、それをじっと見ていた。

私《わたし》がじっと見ていることに気づいた母は、手を止め、あわててリンゴの汁《しる》がついたままの果物《くだもの》ナイフを自分のバッグにしまった。そして、悲しそうな目で私《わたし》を見た。

〈お母ちゃん……もう自殺《じさつ》しようなんて思わへん。だから……もうそんな目で見やんといて……〉

自業自得《じごうじとく》とはいえ、辛《つら》い。


十日後、抜糸《ばっし》はまだだったが、私《わたし》は病室の前の廊下《ろうか》で、歩く練習を始めた。手すりにつかまりながら、ゆっくりゆっくり歩いていると、他《ほか》の病室の女性《じょせい》の患者《かんじゃ》が近づいてきた。その女性《じょせい》は三十歳《さい》くらいで水商売風、首と手にギプスをしていた。

「うち、車の助手席《じょしゅせき》に乗っているときに後ろから追突《ついとつ》されてん」

いきなり自分がギプスをしている理由を説明《せつめい》してきた。

「そうですか」

私《わたし》は、それ以外《いがい》の返事を思いつかずにいると、

「あんた。十日ほど前、これやったんやろ」

と言いながら、右手をグウに握《にぎ》ってナイフを握《にぎ》る格好《かっこう》をし、自分のお腹《なか》を刺《さ》すまねをした。人を傷《きず》つけることを平気でする。

〈やっぱり新聞にのったんや。みんな私《わたし》のこと知ってるんや……〉

私《わたし》は、ものすごく恥《は》ずかしくなった。あわてて自分の病室の中に入った。それ以降《いこう》、退院《たいいん》するまで病室から出ることはなかった。

悪夢《あくむ》

入院中、担任《たんにん》の教師《きょうし》が何度か見舞《みま》いにきてくれた。担任《たんにん》の教師《きょうし》はいつもニコニコしていた。笑《わら》うとほっぺたがへっこむ。えくぼかニキビの痕《あと》かはわからない。

〈この人はなにしにきてんのやろ。なにが、そんなにうれしいんやろ……〉

私《わたし》を慰《なぐさ》めるつもりだったのかもしれない。

が、その無神経《むしんけい》さに傷《きず》ついていた。

約《やく》一か月半後、退院《たいいん》した。そして、私《わたし》のいないところで、学校側《がっこうがわ》と両親とで今後どうするかの話し合いがされた。

私《わたし》は、元の学校に戻《もど》るのだけは絶対《ぜったい》にいやだった。ところが、私《わたし》の気持ちとは正反対に、元の学校に戻《もど》ること、しかも同じ教師《きょうし》が担任《たんにん》を受け持つことになった。そのことを日曜日の夕食のときに聞かされた。

「学校と話をしたんやけど、また戻《もど》ることになったんや」

「えっ?」

「それから担任《たんにん》も同じ先生が受け持つことになった」

「えっ。どういうこと?」

「今言《ゆ》うたとおりや」

「あの学校に戻《もど》るのだけは、絶対《ぜったい》にいやや!」

両親から、同じ学校に戻《もど》ることを聞いた私《わたし》はこう叫《さけ》んだ。すると父は、

「まだ中学二年生やし、学校は行かなあかんやろ」

「他《ほか》になんぼでも学校あるやんか」

「転校なんかでけへんて言われた」

「あの学校に戻《もど》ったら、今度はどうなるかわからへん」

「担任《たんにん》の先生も十分気をつけるって言《ゆ》うてくれてる」

「いったい、なにをどう気をつけてくれるねん」

「そんなこと言《ゆ》うたかて、どこに行っても一緒《いっしょ》やろ」

「いやや」

そんな会話が繰《く》り返《かえ》された。

おそらく、どこへ転校しても、うわさはすぐに広がるし、またいじめを受けるかもしれない。それなら、はじめから事情《じじょう》を知っている元の学校に通うほうがよいと判断《はんだん》されたのだろう。

それでも私《わたし》は「行く」とは言わなかった。すると母が、思いつめたように言った。

「道を歩くとひそひそ話が聞こえるねん」

——ほらあの人や。あの人の子やで。この前、河川敷《かせんしき》で割腹《かっぷく》自殺図《さつはか》ったん。きっと親が悪いんや。しっかり教育せえへんから——

「お母ちゃん、道も歩かれへん。そのうえ学校にまで行かへんとなると……。お願《ねが》いやから学校にだけは行って。恥《は》ずかしいから」

ご近所では、親切に気遣《きづか》ってくれる人もいるけど、なかには興味本位《きょうみほんい》におもしろおかしく言う人もいる。母も辛《つら》かったと思うが、私《わたし》は母のその言葉にショックを受けた。

〈私《わたし》がこんなに苦しんでるのに……お母ちゃんは私《わたし》より世間体《せけんてい》のほうが大事なんか……〉

母にそう言いたかった。

しかし私《わたし》は、喉《のど》まで出かかったその言葉をのみ込《こ》み、

「お母ちゃんがそんなに言うんなら、三年生の一学期から学校に行くわ」

と笑顔《えがお》で言った。自分が悪いことをしてしまったということも身にしみてわかっていたし、これ以上《いじょう》、母に嫌《きら》われたくなかったからだ。

第三章　下り坂

地獄《じごく》

昭和五十五年四月、私《わたし》は三か月ぶりに学校の門をくぐった。私《わたし》の姿《すがた》を見つけた同級生たちは、一様に驚《おどろ》いた表情《ひょうじょう》を見せた。そして突《つ》き刺《さ》すような視線《しせん》を浴《あ》びせる。私《わたし》は、このとき、初《はじ》めて、世間の白い目、というものを感じた。そして、

「なんで来てんのやろ」

「ほんまや」

「よう来れたな。どんな神経《しんけい》してんのやろ」

「普通《ふつう》の神経《しんけい》とちゃうで」

「同じクラスになったらどうしよ～」

「私《わたし》やったら、じ・さ・つ、するわ～、キャハハ～」

と、わざと聞こえるように言う生徒《せいと》たちもいた。私《わたし》は家に引き返そうと思った。

でも、クラスの教室に入れば、担任《たんにん》の教師《きょうし》がいるし、みんながみんなそのような態度《たいど》をするはずがない、少なくともクラスのみんなは温かく迎《むか》えてくれるだろうと思い直し、勇気《ゆうき》を出して教室に入った。しかし、それは甘《あま》い考えであったということを、すぐに思い知らされた。

初《はじ》めてのクラス。最初《さいしょ》は五十音順《じゅん》で座《すわ》っていたが、班《はん》と席順《せきじゅん》をくじで決めることになった。

箱から一枚《まい》紙切れを取ると、四—三という番号が書かれてあった。四班《はん》の三番の席《せき》という意味である。しばらくして、私《わたし》と同じ班《はん》になる四班《はん》のくじを引いた一人の生徒《せいと》が、

「私《わたし》いやや～」

と大声で叫《さけ》んだ。するとそばにいた生徒《せいと》も加《くわ》わり、

「どないしたん?」

「ショックう」

「何班《なんぱん》やねん」

「あいつとおんなじ四班《はん》」

「ギエ～」

「最悪《さいあく》～」

「ほんま最悪《さいあく》～」

「誰《だれ》か替《か》わって～」

と大騒《おおさわ》ぎをした。

それを聞いた他《ほか》の生徒《せいと》も、

「そんなやつ誰《だれ》もおらんやろ」

と、ニタニタしながら私《わたし》をちらっと見た。

〈そんなに私《わたし》とおんなじ班《はん》になるのんがいやなんか……〉

胃《い》のあたりがかっと熱《あつ》くなった。


班《はん》分けが決まったので、それぞれ自分の席《せき》につくと、生徒《せいと》の自己《じこ》紹介《しょうかい》が始まった。

「私《わたし》の趣味《しゅみ》は、音楽鑑賞《かんしょう》です。将来《しょうらい》は歌手になりたいです。仲《なか》よくしてくださいね」

生徒《せいと》は、それぞれお決まりの自己《じこ》紹介《しょうかい》をし、終わると拍手《はくしゅ》をしてもらっている。

〈次は私《わたし》の番や。趣味《しゅみ》は、え～と読書やな。将来《しょうらい》の夢《ゆめ》は今んとこないけど、保母《ほぼ》って言《ゆ》うと

こかな。それから、これからよろしくお願《ねが》いしますも言わなあかんな……〉

どうやったら印象《いんしょう》をよくすることができるかを必死《ひっし》に考えた。いよいよ私《わたし》の番になったので、起立した。そして、

「趣味《しゅみ》は……」

と、そこまで言うと、後ろの席《せき》から、

「こいつの趣味《しゅみ》は腹切《はらき》りで～す」

と男子生徒《せいと》がヤジをとばした。周《まわ》りの生徒《せいと》がくすくすと笑《わら》う。

私《わたし》は、顔が硬直《こうちょく》していくのがわかった。そのあとの言葉が出ない。

「よろ……しく」

蚊《か》の鳴くような小さな声でそう言ったあと、素早《すばや》く着席《ちゃくせき》した。周囲《しゅうい》からは、拍手《はくしゅ》ではなく、くすくすと笑《わら》う声が聞こえてきた。

「そんなこと言うのんやめとき」と言う生徒《せいと》は一人もいなかった。担任《たんにん》の教師《きょうし》は、「こらっ」とひとこと言ったあと、「はい次」と言って、次の生徒《せいと》に自己紹介《じこしょうかい》をするよう促《うなが》した。

〈えっ？「こらっ」で終わりなん？嘘《うそ》やろ。趣味《しゅみ》は腹切《はらき》りで～すとヤジをとばす生徒《せいと》に対し、そんなことは人間として許《ゆる》されないことだと、なんでその場で言ってくれへんの？

あんたそれでも教師《きょうし》か。私《わたし》をこの学校に戻《もど》した理由はなんやねん？　学校側《がっこうがわ》の体面だけか？〉
絶望的《ぜつぼうてき》な気持ちが襲《おそ》う。

昼休み、教室の窓《まど》から外を眺《なが》めていた。

〈やっぱり思ったとおりや。なんにも変《か》わってへんわ……最悪《さいあく》や……〉

涙《なみだ》がこぼれそうになった。ちょうどそのとき、午前中に選《えら》ばれたばかりのクラス委員の女《じょ》生徒《せいと》が、

「元気？」

と声をかけてくれた。英語《えいご》が得意《とくい》で掃除《そうじ》当番など人がいやがることは、自分から率先《そっせん》して申し出る〝これぞ生徒《せいと》の鑑《かがみ》〟みたいな子。当然教師《とうぜんきょうし》からは全幅《ぜんぷく》の信頼《しんらい》を得《え》ている。私《わたし》は、

〈クラスの中に、声をかけてくれる人がおったんや。さっきはみんながいたから、なんにも言われへんかったんや。よかった〉

と思うとうれしくなり、

「うん元気！」

と明るく答えた。するとその女生徒《じょせいと》は、

「なんでも相談してくれたらええよ」

とやさしく言ってくれた。私《わたし》は、

「ほんま、ほんまにええの。友達《ともだち》になってくれるの」

救《すく》いを求《もと》めるように聞いた。

そのとき、二人の様子を見ていた生徒《せいと》が、その女生徒《じょせいと》を自分たちのいるほうへ呼《よ》んだ。そして、なにか話し始めた。

「なんであんなやつと話してるの?」

「だって、先生に話をしてあげろって言われてんもん……」

「私《わたし》も言われたけど、無視《むし》してんねん」

「だけど、私《わたし》、クラス委員やからしかたないやん」

「でもあいつ、精神科《せいしんか》に通わされとるねんで」

「うっそお～、どっかおかしいんやわ」

「あんな、死《し》に損《ぞこ》ない、相手にしたないわ」

「そんな、ほんまのこと言《ゆ》うたら、かわいそうやん」

楽しそうに話をしながら教室を出ていった。

〈精神科《せいしんか》のこと知られてる。親と学校以外《いがい》知らんはずやのに……でも、私《わたし》、どこもおかしくない……おかしくないいんや〉

くやしさがこみ上げてきた。

屈辱《くつじょく》

私《わたし》は、救急《きゅうきゅう》病院を退院《たいいん》後、母から、別《べつ》の病院にしばらく通院するように言われた。私《わたし》は、通院の理由がわからなかったので、母に尋《たず》ねた。

「なあ、明日《あした》病院に行くって言《ゆ》うたけど、どこの病院？」

「入院していたところの近くにある病院や」

「なにしに？」

「ちょっと検査《けんさ》してもらいなさいって言われたから」

「誰《だれ》に？」

「…………」

「なんの検査《けんさ》やのん?」

「なにも心配せんでいいから、言うこと聞いとき」

私《わたし》は、それ以上《いじょう》、反論《はんろん》できずに言われるまま、翌日《よくじつ》、病院に行った。

そこは、大学病院の精神科《せいしんか》だった。そこでは、さまざまなテストを受けさせられた。あまりにもたくさんのテストをされたので、全部を記憶《きおく》しているわけではないが、〝箱庭療法《りょうほう》〟(精神療法《せいしんりょうほう》の一つ)をされたことだけは鮮明《せんめい》に覚《おぼ》えている。それから子どもの頃《ころ》の様子を根ほり葉ほり聞かれた。聞かれたのは私《わたし》だけではなく、両親も祖母《そぼ》もである。

いくら母がごまかしても、いくら私《わたし》が十四歳《さい》の子どもでもわかる。精神《せいしん》に異常《いじょう》があるかどうかのテストというぐらいのことは……。

なにも精神科《せいしんか》が悪いと言っているわけではない。行く必要《ひつよう》があるのなら、どうしてはっきりと説明《せつめい》してくれないのか。子どもでもきちんと説明《せつめい》してもらえたら、納得《なっとく》して自分から進んで通院もする。それなのに、なんの説明《せつめい》もないまま連《つ》れていかれたことで、このとき、母に対し不信感《ふしんかん》を抱《いだ》いた。

病院ではテストばかりされ、いじめられて苦しかったことは、なんにも聞いてくれなかった。屈辱《くつじょく》だった。

〈自殺未遂《じさつみすい》をしたのは、いじめられたんが原因《げんいん》や。私《わたし》は、どこもおかしくない。おかしくなんかない……私《わたし》は、ごく普通《ふつう》の子どもや！〉

子どもの頃《ころ》

私《わたし》は、昭和四十年十月十八日、会社勤《づと》めをしていた両親の、初《はじ》めての子どもとして生まれた。父が三十八歳《さい》、母が三十七歳《さい》のとき。母は、出産《しゅっさん》予定日の二、三日前まで出勤《しゅっきん》していたらしい。前置胎盤《ぜんちたいばん》（胎盤《たいばん》が子宮の下部に付着《ふちゃく》して産道《さんどう》をふさいでいる状態《じょうたい》）とのことで帝王《ていおう》切開で生まれた。手術室《しゅじゅつしつ》の前で首を長くして待っていた父は、看護婦《かんごふ》さんから、

「おめでとうございます。女の子ですよ」

と言われるなり、

「なんや、女の子か」

と、残念《ざんねん》そうに言ったらしい。生まれてくる子どもは、男の子と勝手に思《おも》い込《こ》んでいたからだ。しかし、その残念《ざんねん》さも、ベッドで寝《ね》ている私《わたし》の顔を見て、すぐに吹《ふ》き飛《と》んだようで、

「ほんまに、かわいい子や……」

と言いながら退院《たいいん》するまでの間、毎日病院に来ていたそうである。生後数か月間、夜泣《よな》きひとつしなかった私《わたし》は、非常《ひじょう》に育てやすかったらしい。ただ母乳《ぼにゅう》はまったく飲まなかったため、哺乳瓶《ほにゅうびん》のミルクで育てられた。

両親には、遅《おそ》いときに生まれたこともあり、それこそ目の中に入れても痛《いた》くないというほどに、かわいがられた。祖母《そぼ》も内孫《うちまご》のようにかわいがってくれた。そのせいか、私《わたし》は非常《ひじょう》に甘《あま》えん坊《ぼう》に育った。

昭和四十五年、市内にある恵光幼稚園《えこうようちえん》に入園した。この幼稚園《ようちえん》にはスクールバスがなく、全員徒歩《とほ》での通園だった。会社勤《づと》めをしていた母の代わりに送り迎《おくむか》えは祖母《そぼ》がしてくれた。一人っ子で、しかもわがままいっぱいに育てられた私《わたし》は、幼稚園《ようちえん》に入園するまで、同年代の子どもと遊ぶということがなかった。そのためか、祖母《そぼ》のそばから離《はな》れることができず、教室の入り口で、つないでいた祖母《そぼ》の手を離《はな》されると、

「おばあちゃん、帰らんといて」

と言って激《はげ》しく泣《な》く。

担任《たんにん》の前田《まえだ》先生が、だっこして教室へ入ってくれても、なかなか泣《な》きやまない。昼休み、

お弁当箱《べんとうばこ》のふたを開け、先生に、

「わあ～。みっちゃんのお弁当《べんとう》すごいな～。おいしそうやな～。先生にもちょっとちょうだい」

と言われると、泣《な》きじゃくりながら、

「ええよ、これ、お父ちゃんがこさえてくれてん」

と、ようやく機嫌《きげん》がおさまり泣《な》きやむ。

父は料理《りょうり》が得意《とくい》で、また唯一《ゆいいつ》の趣味《しゅみ》でもあったので、私《わたし》の家の料理《りょうり》は父が作ることが多かった。幼稚園《ようちえん》に持っていくお弁当《べんとう》も、毎日早起きして作ってくれた。

「今日は、みっちゃんの大好《だいす》きなオムライスやで」

「ほんまや」

「おいしいでぇ」

「わ～い」

「しっかり食べや」

「うん。お母ちゃんも見て、さくらんぼも入ったあるわ」

「よかったな～」

と母がやさしくほほえんでくれる。

父の作ってくれたお弁当《べんとう》は本当においしかった。


小学一年生になっても、なかなか同級生と遊ぶことができずに一人でいることが多かった。クラスの男の子にも泣《な》かされてばかりいた。昼休みに一人でジャングルジムで遊んでいると、担任《たんにん》の山家《やまいえ》先生が、

「今、泣《な》いたカラスがもう笑《わら》った」

と言いながら様子を見にきてくれる。肩《かた》までのばした髪《かみ》の毛《け》を一つにくくり、歌が上手でお姉さんのような人。いつも笑顔《えがお》のとてもやさしい先生だった。

〈山家《やまいえ》先生がずっと担任《たんにん》の先生やったら私《わたし》の人生もちがっていたかも……〉

ふとそう思うときがある。

二年生になると、近所の同級生とも遊ぶようになった。お人形さんごっこが大好《だいす》きだった。リカちゃん人形や人形ハウス……。

学校では図工の時間がいちばん好《す》きだった。

「この子は手先が器用《きよう》ね」

とほめられることがうれしくて、いろいろなものを作った。描《か》いた絵が展覧会《てんらんかい》で入賞《にゅうしょう》したとき、父は、

「お父ちゃんの子やからな」

と本当にうれしそうな顔をして言った。

三年生になって、ピアノを習い始めた。クラスで発表会などがあるとき、かならず私《わたし》がピアノをひいた。保護者《ほごしゃ》を交えての発表会の日、父は会社を休んで見にきてくれた。そして、ピアノをひいている私《わたし》の前に来て、写真をパチパチ写し始めた。近所の人には父の親ばかぶりは十分知《し》れ渡《わた》っていたので、家の隣《となり》のおばさんは、

「みっちゃんのお父ちゃん、また来てはるわ」

と言って、半ばあきれ顔で見ていた。父はそんなことはお構《かま》いなしに、

「あのピアノひいてるのん、うちの子ですねん。上手でっしゃろ」

近くの席《せき》の奥《おく》さんに声をかけ、さんざん自慢話《じまんばなし》をしては、満足《まんぞく》して帰るのである。

このように図工と音楽はよかったものの、それ以外《いがい》の科目の成績《せいせき》はあまりよくなかった。「よい」「ふつう」「がんばってほしい」の中では、ほとんどの科目は「ふつう」で算数と理科はいつも「がんばってほしい」だった。「よい」はひとつもない。

そして「根気がない」の欄《らん》にはいつも○印《じるし》がつけられていた。つまり、好《す》きな音楽や図工はするが、嫌《きら》いな勉強は全然《ぜんぜん》せず、やる気も根気もなかった。

高学年になっても、成績《せいせき》はあまりよくならなかったが、私《わたし》は、気にすることもなく、両親もあまりうるさく言わなかった。学習塾《がくしゅうじゅく》にも通わなかった。でも友達《ともだち》もたくさんいたし、本当に楽しかった。幸せだった。

私《わたし》は、どこにでもいる普通《ふつう》の子どもだった。この学校に転校してくるまでは……。

非行《ひこう》

――死《し》に損《ぞこ》ない――
クラスの生徒《せいと》から、この言葉を聞いたとき、
〈もうここには私《わたし》の居場所《いばしょ》はない……〉
そう思った。そして、
〈傷《きず》つき弱っている者に対し、平気で誹謗中傷《ひぼうちゅうしょう》する。こいつらに人間の心があるのか。もしこいつらが人間というのなら、私《わたし》は、今すぐ人間をやめてやる……〉

そう決心した私《わたし》は、今までの生活から一変《いっぺん》して、夜の町に出かけるようになった。

駅前のゲームセンター。当時、流行《はや》っていた〝コール・ミー〟や〝卑弥呼《ひみこ》〟という曲が大《だい》音響《おんきょう》で鳴《な》り響《ひび》いていた。奥《おく》のほうで、家出少女や無職《むしょく》の少年がたむろしている。私《わたし》は、ゲームセンターの入り口近くにあるインベーダーゲームの台に座《すわ》り、ポケットから小銭《こぜに》入れを出して百円玉を取り出した。

そのとき、店の奥《おく》のほうで、私《わたし》の様子を見ていた一人の女の子が近づいてきた。

〈まだらに日焼《ひや》けして、なんか不潔《ふけつ》そうやなぁ～〉

その子を見て、真っ先にそう思った。パイナップルカットをした髪《かみ》を脱色《だっしょく》し、のばした爪《つめ》に塗《ぬ》られていたワイン色のマニキュアはほとんどはげていた。

「あんた、初《はじ》めて見る顔やな」

「…………」

「なあ～、お金貸《か》して」

大人ぶってはいるが、どことなくあどけない顔をしている。年下か年上かわからない。

〈年下だったら、下手《したで》に出るとなめられる。でも年上だったらどうしよう……〉

でもなめられるよりはましだと思った私《わたし》は、

「お金はない」

と断《ことわ》った。でもその子は引き下がらなかった。

「なに言《ゆ》うてんの」

「…………」

「今財布《さいふ》からお金出してたやんか。うち見ててんで」

「…………」

「なにがない、やねん」

「あんたに貸《か》す金はない、って言《ゆ》うてんねん」

「なに～」

一瞬《いっしゅん》、気まずい空気が流れた。が、その子はなにを思ったのか、

「あんたいくつ？」

と聞いてきた。

「十四」

「どこの学校？」

「第五中」

「え〜、うち隣《となり》の第六中やねん」

その子の学校は、私《わたし》の通っていた中学校のすぐ横にある中学校だった。その子は急に親しそうにしゃべりだした。

「うちも十四やねん」

「ふーん」

「あかねって言《ゆ》うねん。あんたは」

「みつよ」

「なぁ、今ひま?」

「ひまやけど」

「この近くのアパートにうちの先輩《せんぱい》おるねん。これから行こ。食べもんもあるし、なにも心配せんでいいで」

私《わたし》は、そのとき、その子に興味《きょうみ》があったわけでもないし、最初《さいしょ》はお金を貸《か》してと言っていたのに、急に態度《たいど》が変《か》わったので、〈ええかげんな子やな〉と思っていた。それに危険《きけん》があるかもしれないとも思った。でも、

——死《し》に損《ぞこ》ない——

と言われたことが頭から離《はな》れなかった。

〈べつに、どうなったってかまへんわ〉

そう思い、あかねの後をついていった。


二階建《だ》ての文化住宅《じゅうたく》の一階の角部屋。玄関《げんかん》を上がってすぐに四畳半《じょうはん》の台所と奥《おく》に六畳《じょう》の部屋とバストイレがついている。そこには二歳《さい》年上で十六歳《さい》の真希子《まきこ》という女性《じょせい》がいた。あかねの先輩《せんぱい》で、中学校卒業後《そつぎょうご》は喫茶店《きっさてん》でアルバイトをしているらしい。肩《かた》までのばしたワンレンの髪《かみ》がよく似合《にあ》っていた。

〈なんか、気のきつそうな人やな〉

切れ長のつり上がり気味の目を見て、そう思った。

あかねは部屋に上がるなり、真希子《まきこ》に言った。

「先輩《せんぱい》、この子、私《わたし》とおない年で、みつよってゆうねん。これからここに来てもいい？」

真希子《まきこ》は返事をしなかった。あかねはなおも、真希子《まきこ》になにか話をしていた。私《わたし》は、黙《だま》って二人の話を聞いていた。

しばらくすると、部屋に女の子が二人訪《たず》ねてきた。そして玄関《げんかん》のところで突《つ》っ立《た》ったまま、一方的《いっぽうてき》にしゃべり始めた。

「先輩《せんぱい》、昨日《きのう》はさんざんですわ、芦屋《あしや》の検問突破《けんもんとっぱ》しようと思っていきごんでたら、エンジンの調子おかしくなるし、もう少しでポリに捕《つか》まりそうになるし……」

「こいつ、明夫《あきお》を智子《ともこ》にとられたんで、むしゃくしゃしてるんですわ。あはは～」

「智子《ともこ》のやつ、明夫《あきお》を寝取《ねと》りやがって。明夫《あきお》も明夫《あきお》や、あんなパー女のどこがええねん」

「私《わたし》やったら、あんたより智子《ともこ》選《えら》ぶな～、あはは～」

「ふん」

〈ここは暴走族《ぼうそうぞく》のたまり場なんや……寝取《ねと》られる？　すごい話やな……〉

と思いながらも、二人の会話を聞いているとおかしくなって笑《わら》ってしまった。そのとき二人は部屋の奥《おく》にいる私《わたし》に気がついた。

「だれ？」

一人が玄関《げんかん》にかかっているのれんをかき分けた。

私《わたし》に対して言ったのだが、真希子《まきこ》がすかさず、

「あかねの友達《ともだち》や、みつよってゆうねん。仲《なか》よくしたって」

と紹介《しょうかい》してくれた。

〈なんや、やさしい人なんや〉

気をよくした私《わたし》は、身を乗り出して、二人に向かって笑顔《えがお》で、

「こんにちは」

と挨拶《あいさつ》した。

二人は部屋に上がってきて、

「私《わたし》は洋子《ようこ》、こっちはゆかり、よろしく」

「よろしく」

と、にこやかに挨拶《あいさつ》をした。

明夫《あきお》という子にふられたのが洋子《ようこ》で、もう一人のほうがゆかり。洋子《ようこ》は十三歳《さい》で私《わたし》より一歳《さい》年下、肩《かた》までのばした髪《かみ》にパーマをかけていた。洋子《ようこ》はソバージュだと言っていたが、どう見てもアフロという感じがした。ゆかりはおない年で、ショートの髪《かみ》をオールバック風にしていた。ゆかりの体からはタクティクスという男性《だんせい》がつける整髪料《せいはつりょう》の香《かお》りがした。

〈うわ～、二人とも、私《わたし》より二歳《さい》は年上みたいやな〉

そう感じたものの、話をしているうちに、すぐに仲《なか》よくなった。

洋子《ようこ》は、中学一年生の頃《ころ》から学校に通っておらず、家出を繰《く》り返《かえ》しているが、親もあきら

めているのかなにも言われないと言っていた。

「気楽でいいよ」

そう言う洋子《ようこ》は、どこか寂《さび》しそうだった。

ゆかりは、親には不満《ふまん》を持っていたが、学校には不満《ふまん》はなかったらしい。友達《ともだち》もいるし、結構《けっこう》、楽しく学校に通っていると言っていた。

あかねは自分のことについては、なにも話したがらない。ただ、今度は、学園（当時の教護院《きょうごいん》）に送られるかもしれないとだけ言っていた。


洋子《ようこ》らに連《つ》れられ、別《べつ》のグループのたまり場にも出入りするようになった。何か所もそんな場所ができた。

その日も、洋子《ようこ》とゆかりと私《わたし》の三人で、洋子《ようこ》の先輩《せんぱい》でとび職《しょく》をしている孝治《こうじ》のアパートへ行った。築《ちく》五十年は経《た》っていると思われる二階建《だ》ての木造《もくぞう》アパートで、真ん中の廊下《ろうか》をはさんで両側《りょうがわ》に部屋が三つずつあった。

一階のいちばん奥《おく》の右側《みぎがわ》の部屋の扉《とびら》をノックすると、ガチャッと鍵《かぎ》の開く音がして、木の扉《とびら》がきしむ音をたてながら開いた。孝治《こうじ》は寝《ね》ていたのかパジャマ姿《すがた》だった。目の前に靴《くつ》の脱《ぬ》ぎ場《ば》があり、そこには足の踏《ふ》み場《ば》もないほど靴《くつ》が散乱《さんらん》していた。その奥《おく》に六畳《じょう》一間の部屋と形だけの流し台がついていた。

「孝治君《こうじ》、上がってもいい？」

「ええけど」

「あっ、この子みつよってゆうねん。うちより一個《こ》上やねん」

「ふ〜ん」

「よろしくお願《ねが》いします」

私《わたし》は、その場で挨拶《あいさつ》した。孝治《こうじ》は、眠《ねむ》たそうに目をこすりながら、「どうぞ」と中へ招《まね》く仕草をした。部屋の中には、真っ黒のブラウスに豹柄《ひょうがら》のタイトスカートをはいた、十八歳《さい》くらいの女の人がいた。

〈この人の彼女《かのじょ》やろか？　私《わたし》ら部屋に上がってもよかったんかなぁ？〉

そう思っていると、その女の人は、

「うち、帰るわ」

と、こちらのほうをちらっと睨《にら》んで出ていった。孝治《こうじ》は止めもせず、私《わたし》に、

「じぶん、たばこ持ってる？」

とぶっきらぼうに聞いてきた。

「えっ?」

「た・ば・こ」

「あの〜、持ってませんけど」

「悪いけど、買《こ》うてきてくれへん、マイルドセブン」

「いいですよ」

その場におりにくい雰囲気《ふんいき》だったので、出かけたほうがいいと思い、そう返事した。孝治《こうじ》は、ズボンのポケットからくしゃくしゃになった千円札《さつ》を取りだし、私に渡《わた》した。私《わたし》は、部屋から少し離《はな》れたところにある自動販売機《はんばいき》でたばこを買った。部屋に戻《もど》ると、ゆかりと孝治《こうじ》が親しそうにしゃべっていた。

「どうぞ」

買ってきたマイルドセブンとお釣《つ》りを、部屋の真ん中に置《お》かれていたちゃぶ台の上に置《お》いた。

「ありがとう」と言って孝治《こうじ》は、マイルドセブンの封《ふう》を開けて一本取り出し、火をつけておいしそうに吸《す》った。

〈たばこって、そんなにおいしいんかな、くさいだけやけど〉

食い入るように様子を見ていた私《わたし》に気がついたのか、孝治《こうじ》は、

「あっ、ごめん、せっかく買《こ》うてきてくれたんやから、じぶんも吸《す》うてええよ」

と、私《わたし》のほうにたばこを放り投げた。

隣《となり》で洋子《ようこ》もゆかりもおいしそうにたばこを吸《す》っていた。

〈たばこ、吸《す》うたことないって言われへんな。よし吸《す》ってみよ〉

なれない手つきでたばこを取り、口にくわえて吸《す》いながらライターで火をつけた。

〈火がついた。たばこ吸《す》えた。思うたより簡単《かんたん》や〉

たばこの煙《けむり》を肺《はい》まで入れることを知らなかった私《わたし》は、そのときそう思った。

が、ゆかりにはすっかり見破《みやぶ》られていた。

「さっきのん〝ふかし〟やろ」

「えっ」

「肺《はい》まで煙《けむり》入れへんのを〝ふかし〟ちゅうねん」

「じつはたばこ吸《す》うのん、初《はじ》めてやってん」

「うちも最初《さいしょ》はうまく吸《す》われへんかったわ」

その言葉で、少し気が楽になった。と同時に、たばこを吸《す》えるようになろうと思い練習した。最初《さいしょ》はむせたりめまいがしたりしたが、すぐに吸《す》えるようになった。

〈これで私《わたし》もこの子らの仲間《なかま》や……〉

なんか強くなったような気がした。

たまり場で、洋子《ようこ》たちといることのほうが楽しかったので、次第《しだい》に家にも帰らなくなった。

すれ違《ちが》い

心配した母は警察《けいさつ》に捜索保護《そうさくほご》願《ねが》いを出した。数日後、私《わたし》は警察《けいさつ》に見つけだされて補導《ほどう》された。そして、取り調べらしきものを受け、その日は留置場《りゅうちじょう》に入れられることになった。夕方、留置場《りゅうちじょう》の女子《じょし》房《ぼう》に連《つ》れていかれると、その中には女の子が一人、立《た》て膝《ひざ》の格好《かっこう》で座《すわ》っていた。脱色《だっしょく》した髪《かみ》の根本から黒い髪《かみ》がのびてきており、爪《つめ》に塗《ぬ》ったマニキュアもほとんどはげていた。

「よろしく」

小さな声で挨拶《あいさつ》をして、中に入り、入り口近くのところに座《すわ》った。

その子は、担当《たんとう》の警察官《けいさつかん》の姿《すがた》が見えなくなると、自分のところまで来るよう手招《てまね》きした。

私《わたし》は、その子の横に行き、同じように立《た》て膝《ひざ》の格好《かっこう》で座《すわ》った。

「あんたなにしたん？」

「家出」

「家出かあ、ほなすぐ帰れるわ」

「あんたは？」

「無《む》免許《めんきよ》、ほんまとちったわ。もうちょっとで逃《に》げきれたのに」

「わあ〜、すっご〜、なに運転してたん？」

「チャッピーや」

「免許《めんきよ》なしでも単車《たんしや》買えるのん？」

「うちのんとちゃうねん」

「えっ？」

「へっへぇ〜ん、じつは、パクッたってん。ドライバー一本で簡単《かんたん》にできるねん」

その子は、得意《とくい》そうに単車《たんしや》や自動車を盗《と》る方法《ほうほう》を説明《せつめい》した。そして、

「うち、これから〝かんかん〟（少年鑑別所《かんべつしょ》のこと）に行くけど、たぶん〝ほごかん〟（保護《ほご》観察《かんさつ》）で帰れると思うねん。出たら一緒《いっしょ》に遊ぼ」

「ええよ、どこで会う？」

「そうやな、あんたどこのたまり場出入りしてんのん？」

「真希子《まきこ》さんのとこや、孝治君《こうじ》」

「孝治君《こうじ》って、桜町《さくらまち》の？」

「そうやけど、知ってんの？」

「うちの連《つ》れに洋子《ようこ》ってゆうのんがおって……」

「えぇ～、洋子《ようこ》やったら私《わたし》も知ってるわ」

「ほんまぁ～」

「うん」

「うちは、ゆきえ」

「私《わたし》は、みつよ」

　このときになって初《はじ》めて名前を名乗った。ここでは、自分の名前を言うよりも、どんな悪いことをしたかを言うほうが先のようだ。

〈こんなふうにして仲間《なかま》ができるんやなあ。誰《だれ》でもかまへん。友達《ともだち》がほしい……〉

そう思った私《わたし》は、ゆきえと再会《さいかい》を約束《やくそく》した。

が、その後ゆきえと再会《さいかい》することはなかった。その後の取り調べで窃盗《せっとう》の事実が発覚《はっかく》したため、女子少年院に送られたと、うわさで聞いた。

翌日《よくじつ》、母が警察署《けいさつしょ》に迎《むか》えにきてくれた。帰り際《ぎわ》、刑事《けいじ》さんから、

「もう二度と家出なんかしたらあかんで」

と言われた。私《わたし》は、

「はい……」

とうわべだけの返事をした。

そして、家に帰るなり、母に罵声《ばせい》を浴《あ》びせた。

「おまえがよけいなことするから、留置場《りゅうちじょう》なんかに入れられたやんけ」

「なに言《ゆ》うてんの」

「よけいなことすんな」

「ちゃんと家に帰ってこなあかんやろ」

「うるさい」

「学校も行かなあかんやろ」

「なにが学校じゃ」

「まだ中学三年生やで」

「学校がどないしたんじゃ、なんにもわかってへんくせに」

「なにが？」

「みんなおまえが悪いんじゃ」

母に唾《つば》を吐《は》きかけた。そして、

「このクソババ～、うっとうしいんじゃ」

と言って母の髪《かみ》の毛《け》をつかんで、その場に倒《たお》した。そして蹴《け》った。

「やめて……やめて……」

泣《な》きながら哀願《あいがん》する母に対し、私《わたし》はなおも暴力《ぼうりょく》を振《ふ》るった。

母は、私《わたし》のことを理解《りかい》しようとせずただ泣《な》くばかりで、そのくせ世間体《せけんてい》ばかり気にしている。それが無性《むしょう》に腹立《はらだ》たしかった。

それでも、時々は学校に行っていた。そして、たまには教室にも顔を出していたが、ほとんどは保健室《ほけんしつ》にいた。中学三年生ということもあり、周《まわ》りは高校受験《じゅけん》で忙《いそが》しそうだった。

「私《わたし》、この学校行きたいねん」
「なんで」
「制服《せいふく》がかわいいやん」
「あんたの頭では無理《むり》やわ」
「きっつ～」

楽しそうな会話があちこちから聞こえてくる。

私《わたし》はとっくに脱落《だつらく》していたので、好《す》き勝手《かって》なことをしていた。髪《かみ》を茶色に染《そ》め、たばこを吸《す》い、禁止《きんし》されている自転車に乗って通学し、相変《あいか》わらず不良《ふりよう》仲間《なかま》のたまり場にも出入りしていた。

ただ、私《わたし》自身これでいいと思っていたわけではなく、もしやり直せるのならやり直して高校に行きたいと思っていた。しかし、学力が相当落ちていたので高校受験《じゅけん》は無理《むり》だった。

どうしようかと悩《なや》んでいたとき、髪《かみ》の毛《け》をカットするためにいつもの美容院《びよういん》に行った。そこは担当制《たんとうせい》で、私《わたし》の担当《たんとう》は、香川県《かがわけん》出身の二十五歳《さい》の女性《じよせい》だった。母方の田舎《いなか》が同じ香川県《かがわけん》ということもあり、その人とはいつも話が弾《はず》んだ。

「私《わたし》、中三やし、進路どうしようかと思うてんねん」

「高校は行けへんのん」

「成績《せいせき》も内申書《ないしんしょ》も悪いから無理《むり》やわ」

「将来《しょうらい》なにになりたいの」

「べつにないねん。お姉さんは、いつ頃《ごろ》から美容師《びようし》になろうと思ってたん」

「中学生のときかな」

「なんで美容師《びようし》になろうと思ったん」

「人をきれいにするの好《す》きやったし、それに手に職《しょく》をつけておくほうがいいと思ったから」

私《わたし》は、生き生きと話すお姉さんに惹《ひ》かれた。そして、

〈手に職《しょく》かぁ、美容師《びようし》もええなぁ〜。そうや美容師《びようし》になろ〉

私《わたし》は、美容師《びようし》になってやり直そうと思い、美容学校受験《びようがっこうじゅけん》の準備《じゅんび》をした。高校受験《じゅけん》ほどではないが勉強した。折《お》り目《め》のついていない真新しい教科書を広げて最初《さいしょ》から読み、自分なりに勉強した。

無事合格《ぶじごうかく》したので、うれしくて、真っ先に担任《たんにん》の教師《きょうし》に報告《ほうこく》しようと思い、合格《ごうかく》通知書を

握《にぎ》りしめて、学校へ行った。そして職員室《しょくいんしつ》のドアを開けた。

すると担任《たんにん》の教師《きょうし》は、私《わたし》に気がついて外に出てきた。私《わたし》は、合格《ごうかく》通知書を差《さ》し出《だ》し、

「先生あの〜」

と声をかけた。そしてその続《つづ》きを言おうとすると、担任《たんにん》の教師《きょうし》は私《わたし》の言葉をさえぎり、

「なんやその髪《かみ》の毛《け》は。そんな髪《かみ》の毛《け》ではどこへ行ってもあかんぞ」

とだけ言った。そして、合格《ごうかく》したことについては、なにも言わずに不機嫌《ふきげん》そうに教室のほうへ行った。

〈今まで先生に反抗《はんこう》ばっかりしてたから、謝《あやま》るつもりで、真っ先に合格《ごうかく》したことを報告《ほうこく》しようと思ったのに……〉

勝手な思いかもしれないが、私《わたし》はたった一言でいいから、

「おめでとう、頑張《がんば》れよ」

と言ってほしかった。髪《かみ》の毛《け》も、これから家に帰って真っ黒に染《そ》め直すつもりでいた。

しかし、担任《たんにん》の教師《きょうし》に、差《さ》し出《だ》した合格《ごうかく》通知書を手に取ってももらえず、どこに合格《ごうかく》しようとしまいと知ったことか、という態度《たいど》をとられたことに対し、

〈もうどんなに努力《どりょく》してもあかんのか……なにを言《ゆ》うてもあかんのやな……〉

と見捨《みす》てられた思いがして、なにもかもやる気をなくした。

そして、担任《たんにん》の後《うし》ろ姿《すがた》を見て決めた。この人のことをもう「先生」とは呼《よ》ばない……と。

家に帰ると、母が、

「どうやった？」

と合格《ごうかく》したかどうか聞いてきた。私《わたし》は、くしゃくしゃになった合格《ごうかく》通知書を渡《わた》した。

「合格《ごうかく》したやんか」

「……………」

「よかった。よかった」

「……………」

「でも高校も行かんと美容《びよう》学校に行くって、田舎《いなか》のおばさんにどうやって説明《せつめい》しよかなぁ」

母は、高校に行かないということが、よほど恥《は》ずかしいようで、親戚《しんせき》への説明《せつめい》に苦慮《くりよ》しているようであった。

「なぁ〜、そんなに恥《は》ずかしいの……」

「えっ？」

「そんなに恥《は》ずかしいのかって聞いてんねん」

「そういうわけとちがうけど……」

「ほなどういうわけやねん……」

「…………」

なにも言えなくなったのか、黙《だま》ってうつむく……。そんな母の様子を見ていると、心の底《そこ》から腹《はら》が立った。

〈あんたがいちばん大切にしている世間体《せけんてい》とやらをぶち壊《こわ》してやる……〉

私《わたし》はそのまま家を飛《と》び出《だ》した。

第四章　どん底《ぞこ》

もう、誰《だれ》も信《しん》じない

それからの私《わたし》は、まるで坂道を転がるように転落していった。せっかく入学した美容《びよう》学校もやめた。たまり場に行っては仲間《なかま》と遊びほうけていた。

暴走族《ぼうそうぞく》のたまり場。六畳《じょう》一間と形だけの台所がついた狭《せま》い部屋に、いつも何人かの男女がたまっている。たばことシンナーのにおいが立ちこめる。ある日、洋子《ようこ》とその部屋をのぞくと、男女が真《ま》っ裸《ぱだか》で眠《ねむ》っていた。入り口の鍵《かぎ》もかけずに……。

私《わたし》は見てはいけないものを見てしまったような気がして、すぐに部屋を出ようとした。すると洋子《ようこ》は私《わたし》の腕《うで》をつかみ、

「気にせんでええねん。この子らいっつもこうやねん」

とその場に座《すわ》った。その男女はべつに恥《は》ずかしがることもなく、男の子は寝転《ねころ》んだままで、女の子は裸《はだか》のまま座《すわ》ってたばこをくわえておいしそうにふかした。そして私《わたし》のほうを見

て、

「じぶん、初《はじ》めて見る顔やな」

と言ってきた。私《わたし》は目のやり場に困《こま》りながらも、

「こんにちは」

と挨拶《あいさつ》した。その子は、

「そこにある〝あんぱん〟吸《す》うてもええでぇ。純《じゅん》トロやで。〝らり〟って男いったらめっちゃええでぇ」

と言って、その男の子と顔を見合わせてニタッと笑《わら》った。

洋子《ようこ》も同じように笑《わら》っている。

〈〝あんぱん〟ゆうたらシンナーのことやろ？　純《じゅん》トロってトルエンのこと？？？　この子らシンナー吸《す》いながら……。恥《は》ずかしくないんやろうか？〉

最初《さいしょ》は誰《だれ》でもそう思うらしい。しかし、しょっちゅうたまり場に出入りするようになり、このような光景《こうけい》を見ているとそのうち感覚《かんかく》が麻痺《まひ》し、なんとも思わなくなる。そしてそれが当たり前になる。

〈こんなところに出入りしてたら、感覚《かんかく》が変《へん》になる……〉

そう思ったが、私《わたし》はやめなかった。ひとりぼっちは寂《さび》しかった……。誰《だれ》でもいい。友達《ともだち》と呼《よ》べる人がほしかった……。自分の居場所《いばしょ》がほしい……。

バイクの乗り方、車の運転の方法《ほうほう》も覚《おぼ》えた。深夜、暴走族仲間《ぼうそうぞくなかま》の運転する車でドライブする。私《わたし》は真吾《しんご》という子が運転するマークII《ツー》の助手席《じょしゅせき》に乗っていた。真吾《しんご》は十九歳《さい》で定職《ていしょく》はなく、たまに実家に帰っては母親から小遣《こづか》いをせびっているらしい。真吾《しんご》に言わせると、母親は金を引き出すためだけの存在《そんざい》とのこと。この車も母親のものらしい。

「あの女も好《す》き放題のことしてっから……おれにとやかく言う資格《しかく》なんてないねん」

真吾《しんご》から聞いた最初《さいしょ》で最後《さいご》の母親の話。それ以後《いご》は、自分の家族のことについてはなにも言わない。

——お父さんはいてはらへんのやろか——

聞いてみたいと思ったが、聞けなかった。誰《だれ》でも聞かれたくないことはある。別《べつ》の話題に変《か》えようと思い、車の運転の仕方を聞いてみた。

「運転するの難《むずか》しい？」

「べつに、そうでもないよ」

「免許《めんきょ》いつ取ったん?」

「免許《めんきょ》なし。む・め・ん・きよ」

「ええぇ~、ほな他《ほか》の人も無《む》免許《めんきょ》なん?」

「いいや、他《ほか》のやつらは持ってる」

「じゃあなんで取らへんの?」

「金ない」

「ふ~ん」

「ハンドル握《にぎ》ってみるか」

「えっ?」

「運転してみるか」

「だけど免許《めんきょ》ないもん」

「免許《めんきょ》なんてど~でもええねん。運転さえできたらええんや」

真吾《しんご》は道路の端《はし》に車を停《と》め、

「席《せき》、交代しよ。運転席《うんてんせき》に座《すわ》ってみ」

と言いながら車を降《お》りた。私《わたし》も助手席《じょしゅせき》から降《お》り、運転席《うんてんせき》に座《すわ》った。

初《はじ》めて座《すわ》る運転席《うんてんせき》。真吾《しんご》は身長一七八センチ、私《わたし》は一五五センチしかなかったので、そのままの状態《じょうたい》では、ハンドルの中心部分が目の前にきて、前が見えにくい。脚《あし》もペダルに届《とど》かない。クッションを二つ背中《せなか》とお尻《しり》にあてて座席《ざせき》を調整した。ブレーキを踏《ふ》みながら、ニュートラルからドライブに入れ、サイドブレーキをはずして、アクセルを踏《ふ》む。車が前方に滑《すべ》り出《だ》す。

〈動いたわ。わりと簡単《かんたん》や……〉

これまで助手席《じょしゅせき》に座《すわ》り、人が運転するのを見てきたので、真吾《しんご》に教えてもらわなくても、だいたいのことはわかる。それからは真吾《しんご》に車を借《か》りて、毎日、深夜の人通りのない道路や港の倉庫《そうこ》付近《ふきん》で、運転の練習をした。

が、運転がうまくなるにつれて不安《ふあん》も出てきた。

〈このままやったら、国道を走るようになるやろうな。仲間《なかま》の前でええかっこうしようと無《む》理《り》してしまう。そうなったら事故《じこ》起こしてしまうかもしれへん。他人を巻《ま》き込《こ》んだらどうしよう……大変《たいへん》や……もうやめとこ……でもやめるってどうやって言《ゆ》うたらええんかなぁ。そうや運転がへたやと思われたらええんやわ。そうやそうや。どっかに、ぶつけたろ……〉

私《わたし》は車を電信柱《でんしんばしら》に軽くぶつけた。車に傷《きず》はつかなかったが、真吾《しんご》は、

「なにすんのやぁ～、へたくそぉ～、もう運転すんな」

と怒鳴《どな》った。

〈全部なにもかも開き直って、徹底《てってい》した悪《ワル》になれたら楽やろうなぁ～、ほんまに〝へたれ〟やわ〉

悪いことをしながらも、どこかで〈事故《じこ》でも起こしたらどうしよう。他人を巻《ま》き込《こ》んだら大変《たいへん》や〉と思っている自分にいやけがさしていた。


そんなある日、孝治《こうじ》が事故《じこ》で亡《な》くなった。バイクで二人乗りしていたところ、カーブをうまく曲がりきれずに転倒《てんとう》し、後ろに乗っていた孝治《こうじ》が投《な》げ飛《と》ばされて即死《そくし》したらしい。数日後、仲間《なかま》だけで、孝治《こうじ》の弔《とむら》いをすることになった。

それぞれ飲み物と食べ物を持《も》ち寄《よ》って、孝治《こうじ》の借《か》りていたアパートに集まることになった。ここは、孝治《こうじ》の連《つ》れの史彦《ふみひこ》という人が引《ひ》き続《つづ》き借《か》りていた。私《わたし》は、午後九時頃《ごろ》、ビールを持って部屋を訪《たず》ねた。先に来ていたゆかりは目を真っ赤にしていた。

〈ゆかり、孝治《こうじ》のこと好《す》きやったんかな〉

そう思ったが、かわいそうで声をかけられなかった。お酒を飲み始めたゆかりは、だんだん私《わたし》にからみ始めた。

「なあ〜」

「ん？」

「世の中不公平《ふこうへい》やと思わへん」

「そうやな、不公平《ふこうへい》やな」

「ほんまにそう思うの？」

「うん。そう思うよ」

「ほんまに？」

「うん」

「だったら、あんたが死ぬべきなんとちがう」

「えっ？」

「あんた中二のとき、腹《はら》、切ったんやろ……」

そのとき、初《はじ》めてゆかりがそのことを知っていたことを知った。なにも返事ができずに黙《だま》っていると、ゆかりはなおもからんできた。

「孝治《こうじ》はお金をためて、アメリカに行くのが夢《ゆめ》やったんや。そのためにきつい仕事も我慢《がまん》して頑張《がんば》ってきたのに、なんで死ななあかんのや」

「ゆかり……」

「なんでや……なんで死ななあかんのや……」

「孝治《こうじ》が死んだことは私《わたし》かて悲しいよ」

「そう思うんやったら、なんで孝治《こうじ》と替《か》わってくれへんの。死にたくない孝治《こうじ》が死んで、死にたいあんたがなんで生きてんのよ……」

「ゆかりのこと仲間《なかま》と思ってるのに、なんでそんな悲しいこと言《ゆ》うん」

「仲間《なかま》？　誰《だれ》もあんたのこと仲間《なかま》やなんか思ってないわ。言《ゆ》うたるわ、全部」

と、ゆかりは突《つ》き放《はな》すような口調で言い、さらに続《つづ》けた。

「二、三か月前、あんた芳雄《よしお》にシャブ打ってと言《ゆ》うたやろ」

〈そうや、そんなことがあったわ……〉

芳雄《よしお》は十九歳で塗装工《とそうこう》をしていた。ところどころ穴《あな》の開いたネズミ色の作業着を、家の中でも着ており、笑《わら》うと根本しか残《のこ》っていない前歯が見える。この部屋はいつも鍵《かぎ》がかかっておらず、たまっていたゲームセンターにも近かったので、ゆかりたちと時々出入りしていた。二、三か月前、ゆかりを捜《さが》しに、芳雄《よしお》のアパートに行った。部屋には、芳雄《よしお》の他《ほか》に幸子《さちこ》と恵《めぐみ》という二十歳《さい》くらいの女性《じょせい》がいた。幸子《さちこ》は腰《こし》までのばした藁《わら》のような髪《かみ》を肩《かた》のところで一つに束《たば》ねていた。恵《めぐみ》は、ショートの髪《かみ》にパーマをあてて、紫《むらさきいろ》色のメッシュを入れていた。二人とも、芳雄《よしお》ほどの本数ではないが、同じように前歯が根本しか残《のこ》っていない。

「ゆかり、今日は来ませんでしたか?」

と言いながら、部屋の奥《おく》に入ると異様《いよう》な光景《こうけい》が目に入った。

〈覚《かく》せい剤《ざい》や。テレビで見たことある……〉

私《わたし》は、こわごわ近づいた。そしてじっとその様子を見た。

芳雄《よしお》は、パケ(包《つつ》みのこと)の中から、耳掻《みみか》きで覚《かく》せい剤《ざい》を少量《しょうりょう》すくい、銀のスプーンにのせて水を少し入れ、ライターでスプーンの底《そこ》をあぶっていた。覚《かく》せい剤《ざい》が溶《と》けると注射器《ちゅうしゃき》で吸《す》い上《あ》げた。私《わたし》は、思わず、

「私《わたし》にも打って……」

と言った。

〈どうせ死《し》に損《ぞこ》ないなんやし、どうなったってかまへん。それにこの人たちとも仲間《なかま》になりたい〉

と思ったからだ。すると芳雄《よしお》は、

「あかん、やめとき」

とだけ言って、自分たちで使い始めた。幸子《さちこ》の両腕《りょううで》には注射痕《ちゅうしゃあと》のようなものが無数《むすう》にあり、一部はケロイドのようになっていた。芳雄《よしお》はなれた手つきで幸子《さちこ》の左腕《ひだりうで》に覚《かく》せい剤《ざい》を注《ちゅう》射《しゃ》した。そして目盛《めも》り半分ほどの液体《えきたい》を残《のこ》して針《はり》を抜《ぬ》いて、恵《めぐみ》に声をかけた。

「半分打つか？」

「今日はやめとくわ」

「めずらしいのぉ。おまえがやめとくわって言うなんて……」

「この前、打って気分悪なったから」

「この前のシャブは混《ま》ざりもんが多かったみたいや。徹《とおる》から仕入れるシャブは混《ま》ぜもん多いんや。あいつ、パケに他《ほか》の粉《こな》を混《ま》ぜて分量《ぶんりょう》ふやして、小遣《こづか》い稼《かせ》ぎしとんねん。今度見つけたら、しばいたる」

そう言いながら、芳雄《よしお》は、残《のこ》りの半分を自分の左腕《ひだりうで》に自分で注射《ちゅうしゃ》した。

私《わたし》は初《はじ》めて見る異様《いよう》な光景《こうけい》に吸《す》い込《こ》まれて、三人の様子を食い入るように見ていた。

そのとき、芳雄《よしお》が、

「じぶん、もう帰り。こんなところにおったらあかん」

と言って私《わたし》を部屋から追い出した。

〈覚《かく》せい剤《ざい》なんかに手を出したらあかんと注意してくれたんや〉

私《わたし》は、いいように解釈《かいしゃく》していた。


「うん、芳雄《よしお》にそう言《ゆ》うたことあるけど。芳雄《よしお》は私《わたし》のこと思ってやめときと言《ゆ》うてくれてん」

「なに言《ゆ》うてんの。うち、芳雄《よしお》から聞いてんねんで。あのとき芳雄《よしお》がやめときって言《ゆ》うたんは、あんたみたいな頭のおかしいやつにシャブなんか打ったら、殺《ころ》されると思ったからやで。誰《だれ》があんたのことなんか心配するか」

私《わたし》は、耳を疑《うたが》った。

「どういうこと?」

「みんな言《ゆ》うてんねんで」

「なにを……」

「喧嘩《けんか》なんかで人を刺《さ》したりはするけど、自分で自分のお腹《なか》を刺《さ》すようなやつ、頭おかしいで」

「…………」

〈私《わたし》は頭がおかしいんやろか？　みんなが言うように……。いや、そんなことあらへん。私《わたし》は、いじめられて辛《つら》かったんや。親友のふりして心から信用《しんよう》させたあげく裏切《うらぎ》ったあいつらをどうしても許《ゆる》せんかったんや……。ほんまにくやしかった……。辛《つら》かった……。そのことをあいつらにわからせたくて切腹《せっぷく》しようと思ったんや〉

「……仲間《なかま》とちがうかったん……」

「仲間《なかま》ぁ～、なに寝言《ねごとゆ》言うてんねん。うちらやったら、そんなことせえへんわ」

「ほんなら、相手を刺《さ》せばよかったんか……」

「そうやな、うちらやったら相手刺《さ》してるわ。ほんなら仲間《なかま》にしたったたんやけど」

「…………」

私《わたし》は、逃《に》げるようにしてその部屋を出た。そして、どこに行くあてもなく歩いた。歩きながら思った。

〈私《わたし》は、これまで、いじめられたり、裏切《うらぎ》られたりしていっぱい辛《つら》い目にあってきたけど、どこかで、まだ人を信《しん》じたいと思っていた。子どもの頃《ころ》から、人は信《しん》じるものだと教えられ

て育ってきた。だけど……〉
このとき、私《わたし》の中でなにかが壊《こわ》れた。
〈もう、誰《だれ》も信《しん》じない……信《しん》じるもんか〉
そう決めた。

底《そこ》なし沼《ぬま》

私《わたし》は荒《あ》れに荒《あ》れた。外でも家の中でも。

時々家に帰っては、母が、こつこつためたお金をむしり取った。そして、理由もなく無抵《むてい》抗《こう》の母を殴《なぐ》った。

「なんで、なんでこんなことばっかりするの……」

「うるさい。おまえが悪いんじゃ」

「お願《ねが》いやからもうやめて」

「黙《だま》れ」

「もうやめて……」

「全部おまえが悪いんじゃ、なんで私《わたし》なんか産《う》んだんや」

「お願《ねが》い……やめて……」

母は泣《な》きじゃくる。母の泣《な》く顔を見てうれしいわけではない。楽しくて殴《なぐ》っているのではない。だけど、自分を抑《おさ》えることができない。私《わたし》はやり場のない怒《いか》りを全部母にぶつけていた。

もう腰《こし》も曲がった祖母《そぼ》が、

「みっちゃん、お願《ねが》いやから、やめて……」

と泣《な》きながら止めに入る。でも、大好《だいす》きな祖母《そぼ》の声さえ、私《わたし》の心には届《とど》かなかった。

父のいないときを狙《ねら》って帰り、家の中をめちゃくちゃにして出ていく。卑《ひ》怯者《きようもの》、本当に卑《ひ》怯者《きようもの》だった。母からむしり取ったお金で遊び、そのうち暴力団《ぼうりよくだん》ともつきあうようになっていた。

〈どこへ行っても受け入れてもらえなかった。仲間《なかま》がほしい。ひとりぼっちはいやや。自分の居場所《いばしよ》がほしい……〉

そんな気持ちでいた私《わたし》が行き着いたところは、暴力団《ぼうりよくだん》の世界だった。そして、気づいたときには、暴力団《ぼうりよくだん》組長の妻《つま》となっていた。

組長の妻《つま》といっても、まだ十六歳《さい》だった私《わたし》を、組織《そしき》の人間がすんなり受け入れてくれるはずがない。

「ガキがなにをちゃらちゃらしとんねん」

「お子さまは、いにさらせ」

「家に帰ってお母ちゃんのおっぱいでもしゃぶっとき」

「できの悪いガキや」

「その座布団《ざぶとん》に座《すわ》るな」

若《わか》い衆《しゅう》といっても四十代五十代の大人、いきなり十六歳《さい》の小娘《こむすめ》が姐《あね》さんづらして座《すわ》っているのが我慢《がまん》ならなかったのだろう。あからさまに嫌《いや》みを言われた。だけど私《わたし》は自分の居場所《いばしょ》がほしかった。なんとか認《みと》めてもらいたかった。

〈受け入れてもらうためには、この人らと同じようにせなあかんのやわ……〉

そう思った私《わたし》は、この世界で生きるために、背中《せなか》に刺青《いれずみ》を入れることに決めた。まだ十六歳《さい》だったので、彫《ほ》り師《し》から親の判《はん》がいると言われた。もちろん親が承諾《しょうだく》すればいいという問題ではないが、私《わたし》は実家に行った。

父は帰宅《きたく》しており、母と食事をしていた。母は私《わたし》の顔を見るなり怯《おび》えた表情《ひょうじょう》をした。私《わたし》

は、座《すわ》っている二人の前に立ち、

「刺青《いれずみ》入れるから、判《はん》つけ」

と言って紙を差《さ》し出《だ》した。

父はうつむいて黙《だま》っていた。母はもう涙《なみだ》も出ないのか放心状態《じょうたい》だった。荒《あ》れ狂《くる》う私《わたし》に、両親は、もう、どうしていいのかわからなかったのだろう。しかし私《わたし》は、

〈娘《むすめ》がこんなにひどいことをしているのに、叱《しか》ることもでけへんのか……〉

と、黙《だま》って座《すわ》っている父を蹴《け》った。これでもか、これでもかというぐらいに……。

「やめて……。お願《ねが》いやから……」

泣《な》き叫《さけ》ぶ母の声が聞こえる。

さんざん蹴《け》ったあと、二階の両親の部屋に上がり、タンスから印鑑《いんかん》を取り出して押印《おういん》した。

一階に下りると、うずくまっている父を母が介護《かいご》していた。それを見ると無性《むしょう》に腹《はら》が立ち、母の背中《せなか》を蹴《け》った。そして、

「ほら、判押《はんお》したぞ。おまえら、一応《いちおう》、親やから、おまえらの判《はん》がなかったらこっちはパクられるんじゃ」

そんな捨《す》てぜりふを残《のこ》して家を出た。

〈なんで、なんで、こんなにひどいことしてんのに、叱《しか》ってくれへんのや……。私《わたし》なんか、もうどうなってもええのんか……どうなっても……〉

私《わたし》は、叱《しか》ってほしかった。本気で私《わたし》と向き合ってほしかった。でも、両親は一度も叱《しか》ってくれなかった。

彫《ほ》り師《し》のところに行った。選《えら》んだ図柄《ずがら》は観音《かんのん》様に蛇《へび》。割《わ》り箸《ばし》のような大きさの木の棒《ぼう》の先に束《たば》ねられた数十本の針《はり》が、背中《せなか》の皮膚《ひふ》を削《けず》るように刺《さ》さってくる。痛《いた》い……。カッターナイフで切《き》り刻《きざ》まれるような痛《いた》みが襲《おそ》う。蛇《へび》の生殺《なまごろ》しのような感じがした。

ぐっと力を入れて我慢《がまん》しているので歯のかみ合わせがおかしくなる。

仰向《あおむ》けに寝転《ねころ》ぶと透明《とうめい》な体液《たいえき》（浸出液《しんしゅつえき》）でシーツが汚《よご》れる。熱《ねつ》も三十八度近く出る。そのうち胃《い》の調子もおかしくなってきた。血を吐《は》いたので病院に行くと、胃潰瘍《いかいよう》と言われた。途《と》中《ちゅう》で何度もやめたいと思った。

が、「やっぱりガキや、けつわりよったわ」と言われたくなかった。私《わたし》の居場所《いばしょ》はここしかない……。私《わたし》は耐《た》えた。

なんとか仲間《なかま》として認《みと》めてほしかった私《わたし》は、この世界のことをいろいろ勉強した。そして、悪の道へとどんどん突《つ》き進《すす》んでいった。

いじめに苦しんだ自分が、死ぬほどの苦しみを両親に与《あた》え、さらになんの関係《かんけい》もない他人をも苦しめる側《がわ》に回った。

祖《そ》母《ぼ》の死

昭和六十一年六月、祖母《そぼ》が八十二歳《さい》で亡《な》くなった。老衰《ろうすい》と聞いた。相変《あいか》わらずひどい生活をしていた私《わたし》は、祖母《そぼ》の死に目にも会えなかった。葬儀《そうぎ》のとき、母は親戚《しんせき》の手前もあるので私を呼《よ》んだ。従姉《いとこ》を通して……。

その日、朝八時過《す》ぎに従姉《いとこ》から電話があった。十一歳離《さいはな》れている従姉《いとこ》は姉のような存在《そんざい》だった。当時の私《わたし》の状況《じょうきょう》を知っている親戚《しんせき》は、みんな白い目で見て近寄《ちかよ》ろうとしなかったが、この従姉《いとこ》だけはそんな目で見なかった。

「みっちゃん。おばあちゃんが……」

従姉《いとこ》は電話口の向こうで泣《な》いているようだった。

「どないしたん……」

「おばあちゃんが……」

「おばあちゃんがどないしたん」

「おばあちゃんが……死んだ……」

「嘘《うそ》やん……」

私《わたし》は急いで実家に行った。

着いたときは、もう祭壇《さいだん》が準備《じゅんび》されており、顔を白い布《ぬの》で覆《おお》われた祖母《そぼ》が横たわっていた。母が泣《な》きはらした目をしている。私《わたし》が来ていることに気づいた母は、そっと近づいてきた。そして、小さな声で言った。

「おばあちゃん、寝《ね》たきりになってからも、ずっとみっちゃん、みっちゃんって言《ゆ》うてた」

「…………」

「おばあちゃん、みっちゃんと替《か》わってやりたいってずっと言《ゆ》うてた」

「…………」

「ずっと言《ゆ》うてた……」

「…………」

祖母《そぼ》は亡《な》くなる直前まで私《わたし》のことを心配していてくれた。

〈おばあちゃん……〉

私《わたし》は、祭壇《さいだん》の前で手を合わせながら小さい頃《ころ》のことを思い出していた。

両親が会社勤《づと》めをしていたため、私《わたし》は祖母《そぼ》といる時間のほうが長かった。祖母《そぼ》にはいろいろなことを教えてもらった。祖父《そふ》が早くに亡《な》くなったため、母をはじめ幼《おさな》い子をかかえて苦《く》労《ろう》したという話、お菓子《かし》の作り方、花の育て方、ことわざ……。祖母《そぼ》はなんでも知っていた。そんな祖母《そぼ》のことを私《わたし》は小さい頃《ころ》から尊敬《そんけい》していた。

「おばあちゃん。なんでも知ってるねんなぁ。すごいなぁ～」

「そんなことないねんで。おばあちゃんもまだまだ知らへんこと、ようさんある」

「ほんまぁ～」

「ほんまやで。みっちゃんも、これからなんにでも興味《きょうみ》を持って勉強するんやで」

「うん。勉強する。ほんでおばあちゃんみたいに物知りになるねん」

「そうかそうか」

祖母《そぼ》は、勉強という意味もわからないのにそう答えた私《わたし》の頭をやさしくなでてくれた。

連《つ》れられてお墓参《はかまい》りにもよく行った。バケツに水をくんでお墓《はか》のある場所まで持っていく

のが私《わたし》の役目だった。途中《とちゅう》、水をこぼしては泣《な》きべそをかいていると、祖母《そぼ》は、

「大丈夫《だいじょうぶ》か。気いつけなあかんよ」

とやさしく言って涙《なみだ》を拭《ふ》いてくれた。すぐに機嫌《きげん》を直し、お供《そな》えのお菓子《かし》をもらっては喜《よろこ》んでいた。私《わたし》は祖母《そぼ》と一緒《いっしょ》にお墓参《はかまい》りに行くのが大好《だいす》きだった。

仏壇《ぶつだん》にご飯《はん》を供《そな》えるのもよく手伝《てつだ》った。ご飯《はん》が炊《た》けると祖母《そぼ》が、「ご飯炊《はんた》けたよ」と呼《よ》んでくれた。

「はぁ〜い。まんまんちゃんが先やろ」

「そうや。ちゃんとできるか?」

「うん、まかしといて」

「ご飯《はん》は高く盛《も》るんやで。べっぴんさんになるからな」

「うん」

私《わたし》は、でき立てのご飯《はん》を杓子《しゃくし》で少しすくい、仏飯《ぶっぱん》入れに、高く高くご飯《はん》を盛《も》った。

「まんまんちゃん、どうぞ食べてください」

お供《そな》えしたあと、鈴《りん》を鳴らして小さな手を合わせた。

〈おばあちゃんが死んだ……最後《さいご》まで私《わたし》のことを心配して……おばあちゃん……ごめん……ほんまにごめん……〉

悔《く》やんでみても、もう……遅《おそ》い……。

私《わたし》は、自分の居場所《いばしょ》がほしくてその世界に入ったが、結局《けっきょく》そこにも自分の居場所《いばしょ》はなかった。人間のありとあらゆる汚《きたな》さを見てきた私《わたし》は、身も心もぼろぼろになった。なにもかもにいやけがさしていた私《わたし》は、夫《おっと》とも離婚《りこん》した。

その後も、相変《あいか》わらずの生活状況《じょうきょう》で、落ちるところまで落ちてふてくされていた。そして毎日、酒浸《さけびた》りだった。

「なんであのとき死なれへんかったんやろ……。生きてても、しゃ～ないわ」

酔《よ》っては愚痴《ぐち》っていた。

第五章　転機《てんき》

偶然《ぐうぜん》

昭和六十三年春頃《ごろ》、働《はたら》いていた北新地《きたしんち》のあるクラブで、偶然《ぐうぜん》、父の友人の大平浩三郎《おおひらひろさぶろう》さんと再会《さいかい》した。二十二歳《さい》のときだった。

北新地《きたしんち》のクラブ。グランドピアノや豪華《ごうか》な調度品が置《お》かれ、高価《こうか》な絵がさりげなく飾《かざ》られており、座《すわ》っただけで、一人何万円もする。当時はバブル景気《けいき》の真《ま》っ最中《さいちゅう》で、どの店も賑《にぎ》わっていた。

大平《おおひら》さんは、取引先の人を接待《せったい》するため、六人で店に来た。入ってきたとき、私《わたし》はすぐに気がついた。

〈大平《おおひら》の……おっちゃんや……〉

えびす様を思わせる大きな耳たぶ。人の心を見透《みす》かすような鋭《するど》い目。だけど決して冷《つめ》たいという感じではなく、むしろ温かさが感じられる。

私《わたし》は小さい頃《ころ》、大平《おおひら》さんのことを「おっちゃん」と呼《よ》んでなついていた。電気工事関係者《かんけいしゃ》だった父と、設備《せつび》工事業者の大平《おおひら》さんは、仕事の関係上《かんけいじょう》、昔からの知り合いだった。私《わたし》が幼稚園《ようちえん》の頃《ころ》、大平《おおひら》さんは時々、私《わたし》の家に来ていた。そして一緒《いっしょ》に食卓《しょくたく》を囲《かこ》み、世間話や仕事の話をしていた。

私《わたし》は大平《おおひら》さんの膝《ひざ》の上にちょこんと座《すわ》り、そのまま寝《ね》てしまい、ズボンによだれの地図をつけたことがある。それでも大平《おおひら》さんはいつものやさしい顔のままで、

「気にせんでもええよ」

と言って頭をなでてくれた。

「みっちゃんは、ほんまに素直《すなお》でええ子やな」

そう言われるのがいちばんうれしかった。

駄菓子屋《だがしや》にもよく連《つ》れていってくれた。

「なんでも好《す》きなん買《こ》うてええよ」

「うん。どれにしようかな～」

「どれでもええねんで」

「えっと、えっと……あめちゃんにしよかな……ニッキ紙にしよかな……」

「ほしいのん、全部買《こ》うたらええやんか」

「お腹《なか》こわすから一個《こ》しかあかんって、おばあちゃんに言われてんねん」

「そうか、そうか。ほな、ゆっくり選《えら》び」

なかなか選《えら》べないでいる私《わたし》を、大平《おおひら》さんは気長に待っていてくれた。やさしい笑顔《えがお》で……。


〈あの席《せき》に行くのいややな……〉

そう思ったが、仕事だ。しかたがない。ひょっとしたら気がつかれないかもしれないし……。そんなことを考えながら目立たないようにいちばん端《はし》の席《せき》に座《すわ》った。

が、座《すわ》ると同時に声をかけられた。

「あんた、みっちゃんとちがうの」

「はあ」

「おっちゃんのこと、覚《おぼ》えてへんか」

「…………」

私《わたし》は知らないふりをした。

今の私《わたし》は、膝《ひざ》の上に座《すわ》って喜《よろこ》んでいた素直《すなお》な頃《ころ》の私《わたし》ではない。どす黒く汚《よご》れてしまっている。こんなみじめな姿《すがた》だけは見られたくなかった。まだほんの少し、プライドが残《のこ》っていた。

大平《おおひら》さんは、それでもなおしつこく聞いてきた。

「みっちゃんやろ」

「…………」

「あんたが小さいとき、あんたの家によく行ったんやで。覚《おぼ》えてへんか?」

「…………」

「こんなところでなにをしてるの。お父さん元気にしてはる?」

「…………」

私《わたし》は、このまま知らん顔をすることはできないと思い、

「おひさしぶりです」

と言って、うつむいた。大平《おおひら》さんは帰り際《ぎわ》、

「いつでも電話しといでや」

と言って、自分の名刺《めいし》の裏《うら》に、いつでも連絡《れんらく》がつく電話番号を書いて渡《わた》してくれた。

それがきっかけとなって時々喫茶店《きっさてん》で会って話をするようになった。大平《おおひら》さんは子どもが好《す》きで、困《こま》っている子どもがいるとほうっておけない。家庭の事情《じじょう》で学校も満足《まんぞく》に行けず、就職先《しゅうしょくさき》にも困《こま》っている少年がいれば、自分の会社に雇《やと》い入《い》れ、なにかその少年に向く資格《しかく》を取らせたうえでよその会社に就職《しゅうしょく》させる。「子どもは親を選《えら》べない。子どもにはなんの罪《つみ》もない」と言う。

当時の私《わたし》といえば、ボディコンスーツに濃《こ》い化粧《けしょう》、のばした爪《つめ》には真っ赤なマニキュア、ところかまわずにダンヒルのたばこをふかす。最初《さいしょ》は大平《おおひら》さんと会うときもこんな調子だった。

「この頃《ごろ》はどうや」

「べつに……どうって？」

「お父さんからも、ちょっと聞いてるけど……」

「えっ？」

「お父さん、心配してはったで」

「おっちゃん、あいつといつ会《お》うたん？」

「お父さんに向かって、あいつとはなんちゅう言い方するんや」

「…………」

「親に向かって言う言葉とちがうやろ」

「…………」

「もう二度と、お父さんやお母さんのこと、あいつなんて言い方したらあかんよ」

「…………」

「言《ゆ》うたらあかんよ」

「はい」

私《わたし》はうわべだけの返事をした。

〈なんにも知らんくせに……突然《とつぜん》降《ふ》って湧《わ》いたように現《あらわ》れて、なに説教《せっきょう》ぬかしとんねん……〉

心の中でつぶやいた。喫茶店《きっさてん》を出ると、

「また来週、ここで会おな。約束《やくそく》やで。ええな」

と言って、私《わたし》の返事も聞かずに車に乗っていってしまった。

〈私《わたし》に説教《せっきょう》をして、なんの得《とく》があるんやろ……〉

と思いながらも、約束《やくそく》をした日に、また会いにいった。

その日も、大平《おおひら》さんはこんこんと私《わたし》を説得《せっとく》した。

「こんな生活していてどうするの。今からでも遅《おそ》くないから、もう一度、人生やり直してみ」

「どういう意味?」

「ちゃんと昼間働《はたら》き。普通《ふつう》の生活をせなあかん。こんなことしてたらあかん」

〈なに言《ゆ》うてんねん。こっちは悪いのをわかっててしてるねん。誰《だれ》もええと思ってしてへんわ……〉

悪いことと知らずにしている場合、それは悪いことだからやめなさいと教えてもらえばやめるだろう。しかし、悪いことだと十分わかりながらしている場合、悪いからやめなさいと言われても、それがどうしたんじゃ……となる。私《わたし》は開き直っていた。

「おっちゃん、私《わたし》にまだ話があるのん?」

「ああ、あるよ」

大平《おおひら》さんはさらに話を続《つづ》けた。

「蛍光灯《けいこうとう》一つとっても、みんなカタギの人が考えて作ってるんやで」

と、天井《てんじょう》の蛍光灯《けいこうとう》を指さしながら言った。そして、

「根のない竹や割《わ》り箸《ばし》にでもツルを巻《ま》く朝顔になったらあかん。おんなじツルを巻《ま》くんやったら根のあるものに巻《ま》いたらどうや」

と、いろいろ話をしてくれた。

それでも、私《わたし》は、

〈なにをごちゃごちゃぬかしとんねん、蛍光灯《けいこうとう》を誰《だれ》が作ろうが私《わたし》の知ったことか。それに、もう花なんか咲《さ》けへんねん、なににツル巻《ま》いてもおんなじじゃ……ほっとけ……〉

と、なかなか心を開くことができなかった。そして、

〈いっつも説教《せっきょう》ばっかりしやがって……〉

と思った。

が、その反面、

〈なんで、あんなに一生懸命《いっしょうけんめい》言うんやろ。私《わたし》を立ち直らせても、なんの得《とく》にもならへんのに……〉

反発しながらも、いつも、真剣《しんけん》な顔をして、「今からでも遅《おそ》くない、やり直しなさい」と

言う大平《おおひら》さんに、
〈おっちゃんに会いたい。会って話をしたい〉
という気持ちが次第《しだい》に強くなっていった。

そんなある日、喫茶店《きっさてん》でコーヒーを飲みながら、大平《おおひら》さんがいつものとおり、いろいろと話をしてくれていた。その途中《とちゅう》、私《わたし》は、

「今さら立ち直れったって、なにを寝言《ねごと》言うてんねん。口先だけで説教《せっきょう》するのはやめてくれ。そんなに立ち直れって言《ゆ》うんやったら、私《わたし》を中学生の頃《ころ》に戻《もど》してくれ」

と言ってしまった。

それを聞いた大平《おおひら》さんは、このとき、初《はじ》めて大声をあげた。

「確《たし》かに、あんたが道を踏《ふ》み外《はず》したのは、あんただけのせいやないと思う。親も周囲《しゅうい》も悪かったやろう。でもな、いつまでも立ち直ろうとしないのは、あんたのせいやで、甘《あま》えるな！」

と、他《ほか》のお客さんが、カップを落としそうになるぐらいの大きな声と迫力《はくりょく》で……。

〈おっちゃん……いつも穏和《おんわ》なおっちゃんが、あんな大きな声で……〉

落雷《らくらい》にあったように体じゅうに電気が走った。

〈やっと、私《わたし》と真剣《しんけん》に向き合ってくれる人と会えた……〉

私《わたし》はこのとき、生まれて初《はじ》めて叱《しか》られたような気がした。そして、

――道を踏《ふ》み外《はず》したのは、あんただけのせいやないと思う――

という言葉が頭の中をこだました。そのとき初《はじ》めて大平《おおひら》さんの心に気がついた。

〈おっちゃんは、本気で心配してくれてるんや……。私《わたし》を人間としてあつかってくれてるんや……〉

うれしくて体が震《ふる》えた。そして泣《な》き崩《くず》れた。

私《わたし》がこのようになった理由を、誰《だれ》かにわかってもらいたかった。全部わかってくれなくてもいい。ほんの少しでもいい、私《わたし》の心に寄《よ》り添《そ》ってくれる人がほしかった……。

それからも、大平《おおひら》さんは、いろいろと話をしてくれた。

「今の世界から抜《ぬ》け出《だ》しなさい。騙《だま》されたと思って、一回私《わたし》を信《しん》じてみなさい。あんたやったらきっと頑張《がんば》れる」

「そうかなぁ～」

「頑張《がんば》ってみ」

「だけど、もうぼろぼろやけど……」

「この世で、もうあかんということはなに一つない。やらんうちからあきらめたらあかん」

「できるかなぁ～」

「大丈夫《だいじょうぶ》や。小さかった頃《ころ》のことを思い出してみ。あのときの気持ちに戻《もど》って、もう一度やってみ」

と言って励《はげ》ましてくれた。私《わたし》は、これがきっかけとなり、大平《おおひら》さんの言うことを素直《すなお》に聞けるようになった。そして、

〈もう一度、人を信《しん》じてみよう〉

そう思った。

清荒神《きよしこうじん》

昭和六十三年七月、私《わたし》は、大平《おおひら》さんに宝塚《たからづか》の清荒神《きよしこうじん》に連《つ》れていかれた。当時の私《わたし》は、神仏《しんぶつ》をまったく信《しん》じていなかった。いや、信《しん》じないようにしていた。

〈もし神仏《しんぶつ》がいるなら、こんな人生を歩むはずがない。いじめられて苦しかったとき誰《だれ》も助

けてくれなかった。この世には神も仏《ほとけ》もおれへんわ……〉

と思っていたからだ。本当に〝ばちあたり者〟だった。だから、

「一緒《いっしょ》に清荒神《きよしこうじん》さんにお参《まい》りにいこう」

と言われたときは抵抗《ていこう》を感じた。でもそのとき、私《わたし》は行ってみようと思った。なぜ、そう思ったのか今でもよくわからないが、なにか見えないものに引きつけられたのは確《たし》かだ。つい最近《さいきん》、母にそのことを言うと、母は、さらっと言った。

「きっと清荒神《きよしこうじん》さんが導《みちび》いてくれはったんや」

よくわからないが、私《わたし》もそう思った。

午前十時に清荒神《きよしこうじん》駅で大平《おおひら》さんと待ち合わせをし、一緒《いっしょ》に境内《けいだい》まで続《つづ》いている参道《さんどう》を歩いた。坂道でかなりの距離《きょり》がある。二十代の私《わたし》が歩いてもかなりきつい坂道だ。周《まわ》りを見ると、髪《かみ》の毛《け》も真っ白で腰《こし》も曲がったおばあさんやおじいさんが、杖《つえ》をつきながら、一歩一歩足を前に運んでいた。通りの店の人は、

「おはようございます」

と参道《さんどう》を歩いている人たちに挨拶《あいさつ》をしている。

〈みんないい笑顔《えがお》してはるわ……さわやかやな〉

その人の、額《ひたい》から落ちる汗《あせ》がキラキラ輝《かがや》いて見えた。

清荒神《きよしこうじん》の門をくぐり境内《けいだい》に行った。大きな銀杏《いちょう》の木がそびえ立っていた。

手と口を神水で清《きよ》めたあと、本殿《ほんでん》のほうに行った。

「ご縁《えん》がありますように」

大平《おおひら》さんは、五円玉、五十円玉、五百円玉、五千円札《さつ》と五のつくお金を全部賽銭箱《さいせんばこ》に入れて、手を合わせた。

私《わたし》も同じようにお賽銭《さいせん》を入れ、手を合わせた。

〈何年ぶりやろ……〉

小さな頃《ころ》に戻《もど》ったような気がした。

周《まわ》りを見ると、年老《としお》いた人がたくさんお参《まい》りにきていた。そのとき、大平《おおひら》さんに、

「あの白髪《しらが》のおばあさんをよく見とき」

と言われた。

その老女《ろうじょ》は、八十歳《さい》を超《こ》えているだろうか、腰《こし》も曲がり杖《つえ》をついていた。そして、一生懸命《いっしょうけんめい》なにかを願《ねが》っていた。

「どうか、どうか……よろしくお願《ねが》い申し上げます」

しわしわの手を合わせ、なにかにすがるように、何度も何度もお辞儀《じぎ》をしていた。

——境内《けいだい》の鈴《すず》の音……お経《きょう》……線香《せんこう》の香《かお》り……——

心が洗《あら》われる感じがした。

そのとき、

〈お母ちゃんもこんなふうに神社でお願《ねが》いすることもあったんやろか……〉

その老女《ろうじょ》と母の姿《すがた》が重なった。

〈思いどおりにならへんのを、お母ちゃんのせいばかりにしてたなぁ。そもそも自殺《じさつ》未遂《みすい》をしたんかて、自分が弱かったからや。なんぼいじめられても、じっと耐《た》えて頑張《がんば》る子もおる。将来《しょうらい》の目標《もくひょう》に向かって頑張《がんば》る子もおる。道を踏《ふ》み外《はず》したんかてそうや、その道を自分で選《えら》んだんやわ。誰《だれ》のせいでもあらへん。みんな自分が悪いんやわ……〉

私《わたし》は、これまで他人の責任《せきにん》にばかりしていた自分を恥《は》じた。そして、

〈これが最後《さいご》のチャンスかもしれへん。最後《さいご》のチャンスかも……もう一度人生やり直してみよう〉

と決心した。このとき二十二歳《さい》。あり地獄《じごく》に自ら落ちた私《わたし》の目の前に、一本のロープが投《な》げ込《こ》まれた。私《わたし》は、それをしっかりとつかんだ。

そして、過去《かこ》のすべてを断《た》ち切《き》った。

ふんぎり

昭和六十三年七月、大阪《おおさか》市内にある1DK《ワンディーケー》のマンション。そこが私《わたし》の再出発《さいしゅっぱつ》の場所となった。

〈一人暮《ぐ》らしは寂《さび》しいけど、頑張《がんば》ろ……〉

このように、立ち直ろうと決心したが、しばらくはなにをするでもなく、ただぼーっと過《す》ごしていた。中卒《ちゅうそつ》では、就職《しゅうしょく》することも難《むずか》しい。求人雑誌《きゅうじんざっし》を見て履歴書《りれきしょ》を出しても、電話で断《ことわ》られ面接《めんせつ》すらさせてもらえない。

「あの～、先日、履歴書《りれきしょ》送らせてもらいましたが……」

「はぁ?」

「履歴書《りれきしょ》を送らせてもらいましたのに、面接《めんせつ》の連絡《れんらく》がまだ来ないのですが……」

「あ～、中卒《ちゅうそつ》の人ね。なにか資格《しかく》持ってはる?」

「いいえ」

「ほな、あかんわ」

「面接《めんせつ》もしてもらえないんですか?」

「だって、面接《めんせつ》しても、意味、ないでしょ。中卒《ちゅうそつ》じゃ」

「………」

ガチャンと電話を切る音が冷《つめ》たく聞こえる。

〈やっぱり、資格《しかく》を取らなあかんのやなぁ……〉

立ち直らなければいけない、そのためには資格《しかく》を取得《しゅとく》しないといけないということを頭では理解《りかい》していても、なにをどうしていいのかわからない。

そんなとき、大平《おおひら》さんが電話をくれた。

「どうや、そこでの生活はもうなれたか?」

「うん……」

「なんや、元気ないな」

「資格《しかく》を取らなあかんと思うねんけど……」

「思うねんけど、どないしたんや?」

「なんか、心の中がモヤモヤしてんねん」

「これまでのことで、ひっかかることがあるのとちがうか?」

「うん……」

「どんなことや？」

「聞いてくれる？」

「ああ、ええよ。言《ゆ》うてみ」

私《わたし》は、中学生のときにいじめられたということが、どうしても忘《わす》れられなかった。客観的《きやっかんてき》には暴力団《ぼうりよくだん》の世界にいたときのほうがどん底《ぞこ》だったけど、主観的《しゆかんてき》には、中学校の頃《ころ》のほうが辛《つら》かった。そのことを全部、話した。

聞き終わると、大平《おおひら》さんは、

「そーか、そんなに辛《つら》かったんか。くやしかったやろ、今でも恨《うら》んでるか」

と私《わたし》に聞いた。

私《わたし》は、そのときもまだ、過去《かこ》の恨《うら》みを引きずっていた。これまで受けてきた仕打ち、今までの恨《うら》みつらみが、立ち直ろうと決意したぐらいで、そう簡単《かんたん》に消え去るものではない。

私《わたし》は、大平《おおひら》さんの言わんとしていることの意図をさぐれないまま、

「うん。恨《うら》んでるよ。いじめられたときのことだけは絶対《ぜったい》に忘《わす》れられへん」

と返事をした。

すると、

「だったら、復讐《ふくしゅう》をしたらええやんか、でもその方法《ほうほう》を誤《あやま》ったらあかん。もし相手に危害《きがい》を加《くわ》えたり、陥《おとしい》れたりする方法《ほうほう》で復讐《ふくしゅう》したら、傷《きず》つけてしまった相手は二度と元《もど》に戻れへんし、自分自身にも跳《は》ね返《かえ》ってくる。それよりも、最大《さいだい》の復讐《ふくしゅう》は、自分が立ち直ることや。そして、なにか資格《しかく》を身につけなさい。例《たと》えば、もし憎《にく》い相手が簿記《ぼき》の三級の資格《しかく》を持っているなら自分は二級を取りなさい。相手が二級なら自分は一級。そうすると相手を追《お》い越《こ》したことになって気持ちもすっとするやろうし、自分のためにもなる。これも立派《りっぱ》な復讐《ふくしゅう》とちがうか」

と言ってくれた。

大平《おおひら》さんは、なにも復讐《ふくしゅう》をせよと言いたかったのではなく、私《わたし》になんとかやる気を起こさせようと思い、そのように言ってくれたのだと思う。

「よ〜し、資格《しかく》を取る！」

私《わたし》は、これまで恨《うら》みつらみに向けていた全エネルギーを、資格取得《しかくしゅとく》のために向けることに決めた。そう決心した私《わたし》に、大平《おおひら》さんは勉強机《べんきょうづくえ》を贈《おく》ってくれた。

それからの私《わたし》は、今までの人生を取り返すかのように、勉強を始めた。

第六章　再出発《さいしゅっぱつ》

宅建受験《たっけんじゅけん》

まず始めに、宅建《たっけん》の資格《しかく》を取得《しゅとく》しようと思った。これは、宅地建物取引主任者《たくちたてものとりひきしゅにんしゃ》といって、その名称《めいしょう》のとおり、宅地《たくち》や建物《たてもの》の取引条件《じょうけん》などを説明《せつめい》し、売買・仲介《ちゅうかい》・斡旋《あっせん》をする宅地建物《たくちたてもの》取引の専門家《せんもんか》になるための資格《しかく》。

この資格《しかく》を取得《しゅとく》しようと思ったのは、偶然《ぐうぜん》、テレビで流れていた宅建《たっけん》の予備校《よびこう》のコマーシャルを見たのがきっかけだった。

その頃《ころ》、私《わたし》はなにかの資格《しかく》を取得《しゅとく》しようと決意したものの、なんの資格《しかく》を取得《しゅとく》していいのかわからなかった。大平《おおひら》さんの会社にいる少年たちは水道や設備《せつび》工事の関係《かんけい》の資格取得《しかくしゅとく》をめざして頑張《がんば》っていたが、私《わたし》は女性《じょせい》であり、これまで前例《ぜんれい》がないので、どんな資格《しかく》がいいのか聞くわけにもいかない。

情報《じょうほう》を得《え》られるのは本からしかなかった。自宅《じたく》近くの大きな書店に行き、資格取得《しかくしゅとく》に関《かん》する本を買ってきた。かなり分厚《ぶあつ》い。そこには国家資格《しかく》をはじめ、ありとあらゆる資格《しかく》の内容《ないよう》が書かれていた。

〈うわぁ～、ぎょうさんある。なにこれ～。あかん、頭痛《いた》なってきたわ〉

これまで資格《しかく》というものに縁《えん》もゆかりもなかった私《わたし》が、すんなり選《えら》べるはずもない。

どうしようかと悩《なや》んでいたとき、たまたまテレビのコマーシャルが目にとまった。

――あなたも宅建《たっけん》に挑戦《ちょうせん》しませんか。昨年度《さくねんど》の合格者《ごうかくしゃ》の九十五パーセントは当学院の出身者です――

合格祝賀会《ごうかくしゅくがかい》という垂《た》れ幕《まく》の前で、グラスを持った人たちが笑顔《えがお》で乾杯《かんぱい》のポーズをしている場面が映《うつ》っていた。

〈たっけん？？？　なんやろ？〉

私《わたし》は、本の目次を見て、宅建《たっけん》という項目《こうもく》を探《さが》した。該当箇所《がいとうかしょ》を読んでみた。

読むだけではよくわからない……。コマーシャルをしていた予備校《よびこう》に電話で問い合わせてみた。そして、試験《しけん》の内容《ないよう》についておぼろげにも理解《りかい》できたのが、その年の七月下旬頃《げじゅんごろ》だった。

〈本試験《ほんしけん》まで、あと三か月もないわ。でもやれるだけやってみよう〉

このとき、無謀《むぼう》にもそう思った。そしてさっそく、勉強に取りかかった。

まず、書店で基本書《きほんしょ》を買った。ものすごく分厚《ぶあつ》い本と思った。目次を見て、全体像《ぜんたいぞう》をつかんでから読み始めた。でも読めない漢字が多くて、なかなかスムーズに進まない。

――市街化《しがいか》調整区域内《くいきない》における開発行為《こうい》を抑制《よくせい》する見地から――

「しがいかちょうせいくいきないにおけるかいはつこういを？？？」

ここで止まってしまう。漢和辞典《じてん》を引く。

部首引きができなかった私《わたし》は、すべて総画《そうかく》で辞書《じしょ》を引いた。だから、総画《そうかく》のさくいん部分だけ、手垢《てあか》で真っ黒になった。

「全部で何画やろ。八画かな？」

八画のところを最初《さいしょ》から最後《さいご》まで探《さが》したが見つからない。

〈あらへんやんか……あらへん……八画とちがうんやろか……〉

その周辺《しゅうへん》を探《さが》してみると、七画のところにあった。画数すらまともに数えられない。

〈よくせい、って読むのか。なるほど〉

漢字の横に読みがなをふる。

〈しゃあけど、なんで七画なんや……〉

ずっとその調子なので、なかなかはかどらない。思うようにいかない私《わたし》は、いらいらして、心配して電話をくれる大平《おおひら》さんによく八つ当たりした。

「もしもし、どうや」

「どうやって?」

「勉強、はかどってるか」

「………」

「どないしたんや」

「こんなんやってられへんわ」

「なにを言《ゆ》うてるの」

「一冊《さつ》の本を読むのにどれだけ時間かかると思う?」

「時間かかるやろうな」

「もう、気~狂《くる》いそうやわ」

「ゆっくりと読み」

「だいたい中卒《ちゅうそつ》の私《わたし》に資格《しかく》なんか取れるわけないやんか。ほんまはおっちゃんかてそう思てんのやろ」

「思てへん……」

「嘘《うそ》つき……」

「そんなこと言わんとよう聞き。まず、同じ人間や、他《ほか》の人にできて自分にできないはずはないと思いなさい。だけども、自分は中学校しか出ていないから、高校や大学を出ている人の二倍も三倍も頑張《がんば》らなあかんというふうに思うんや。一回で合格《ごうかく》しようなんて思わんでもええ」

ひがみ根性《こんじょう》が抜《ぬ》けずに、すぐに挫折《ざせつ》しそうになる私《わたし》を、大平《おおひら》さんは根気よく、なだめてくれた。そう言われると少し気が楽になり、またやる気が出てくる。

辞書《じしょ》を引きながらも漢字は読めるようになったが、今度は読めても意味がわからない。

——準禁治産者《じゅんきんちさんしゃ》——

〈なんのことや。どういう意味や。わからへん。こんな日本語あるのんか?〉

日本語で書かれているけど、外国語で書かれているような感じがした。まったく意味がわからないし想像《そうぞう》もできない。

独学《どくがく》では無理《むり》だと思った私《わたし》は、一か月ほどで基本書《きほんしょ》を読んだあと、コマーシャルで見た予備校《よびこう》に、これから受講《じゅこう》できる講座《こうざ》があるかどうかの問い合わせをした。パンフレットを郵送《ゆうそう》してくれたので読んだ。

〈え、え、えぇ～、授業料《じゅぎょうりょう》、こんなに高いん？？？ でも、この講座《こうざ》を受けな、一人では無理《むり》やわ……〉

そう思った私《わたし》は、模擬試験《もぎしけん》まで全部セットになった「合格《ごうかく》直前二か月コース」という講座《こうざ》を申《もう》し込《こ》んだ。学費《がくひ》を支払《しはら》ったので、残《のこ》りのお金を計算すると、その月に使える食費《しょくひ》は一日三百円だった。

〈当分の間、朝昼晩《ばん》と、ねこまんまやな……〉

自分との闘《たたか》いが始まった。

初《はじ》めての授業《じゅぎょう》の日、教室に入るなり、ショックを受けた。

――合格《ごうかく》、必勝《ひっしょう》――

と書かれたはち巻《ま》きをした講師《こうし》が、気合いの入った講義《こうぎ》をしており、受講生《じゅこうせい》も必死《ひっし》になってノートを取っていた。

〈うわ～、すっごいなぁ～。ここだけ空気がちがうなぁ～〉

休憩時間《きゅうけいじかん》、隣《となり》の席《せき》に座《すわ》っていた、中年のサラリーマン風の男性《だんせい》が、声をかけてきた。

「ここはすごいでしょ。私《わたし》はもうなれましたけど。じつは、この講座《こうざ》を受けるの四回目ですねん。今年こそはと思ってますけど、なかなか頭がついていきませんわ。はっはっは～」

私《わたし》は、返事の代わりに愛想笑《あいそわら》いをした。どう返事していいかわからない。

でもさすがに予備校《よびこう》の授業《じゅぎょう》だけあって、わかりやすいように解説《かいせつ》してくれる。理解《りかい》できないところは質問《しつもん》すれば親切に教えてくれた。ようやく本に書かれてあることが理解《りかい》できるようになった私《わたし》は、問題を解《と》き始めた。なんとなくできた。

が、そのままスムーズにいったわけではない。そのうち、勉強の壁《かべ》にもぶつかった。

何回も、同じ問題の同じ箇所《かしょ》で間違《まちが》う。

〈また間違《まちご》うた。なんでおんなじとこで……。解説《かいせつ》もおんなじとこに印《しるし》入れてる……もういやや……〉

勉強するのをやめたくなった私《わたし》は、大平《おおひら》さんの会社を訪《たず》ね、

「模擬試験《もぎしけん》で合格点《ごうかくてん》が取られへんかった。こんなんやったら合格《ごうかく》でけへん。なんぼやっても

一緒《いっしょ》や。もういやや……もうやめる」

と言って、教科書を床《ゆか》に投げつけた。すると大平《おおひら》さんは、

「その教科書が、あんたになにか悪いことをしたか。知識《ちしき》を与《あた》えることこそすれ、害《がい》を与《あた》えることは絶対《ぜったい》にせえへんのとちがうか。いつまで、悪いときの根性《こんじょう》を持ってるんや」

と言いながら、本を一つ一つ拾って、私《わたし》に渡《わた》してくれた。そして、

「今日は一日ゆっくりと休み」

プレッシャーで負けそうになっていた私《わたし》の気持ちを軽くするため、そう言ってくれた。

〈悪いことをしてしもうた……教科書を投げつけるなんて最低《さいてい》や……また叱《しか》られてしもたな……〉

帰り道で反省《はんせい》する。

そのうち勉強のコツというのもなんとなくわかってきた。メリハリが大切で、理解《りかい》しなければならない科目と、理解《りかい》までする必要《ひつよう》はなく直前に暗記をすればよい科目があるということ。必死《ひっし》になって覚《おぼ》えたことでも時間が経《た》てば忘《わす》れるのは当たり前で、試験《しけん》の当日に思い出せるように、直前に見ることのできるものを残《のこ》すのが勉強であるということ……など、自分

なりに合格《ごうかく》するためのポイントというのを吸収《きゅうしゅう》していった。

勉強が次第《しだい》に楽しくなってきた。そして、

〈絶対《ぜったい》に合格《ごうかく》して、見返してやる……〉

そう思いながら、毎日、机《つくえ》に向かった。

そして、その年の十月、運よく宅建試験《たっけんしけん》に合格《ごうかく》した。合格《ごうかく》通知書を持って、すぐに大平《おおひら》さんの会社に報告《ほうこく》にいった。

「やった〜、おっちゃん、合格《ごうかく》したわ」

「ほんまか、すごいなぁ〜」

「もう、むっちゃうれしい！」

「一回で合格《ごうかく》するなんて、すごいやんか。やればできるんや。自信《じしん》を持ち」

大平《おおひら》さんは、そう言って喜《よろこ》んでくれた。

〈頑張《がんば》ればできるんや……〉

自信《じしん》がついた。

司法書士試験《しほうしょししけん》

翌年《よくねん》の平成《へいせい》元年、今度は司法書士《しほうしょし》の資格《しかく》を取ろうと思った。宅建《たっけん》に合格《ごうかく》したから同じ系統《けいとう》の司法書士《しほうしょし》の資格《しかく》がいい、と大平《おおひら》さんがすすめてくれたからだ。が、それ以外《いがい》にも理由《りゆう》があった。

宅建《たっけん》の試験《しけん》に合格《ごうかく》し、これで本当にやり直せると思った私《わたし》は、両親にこれまでのことを詫《わ》びて許《ゆる》してもらおうと思っていた。

しかし、そのとき、両親は私《わたし》に会おうとしなかった。私《わたし》が両親に対してこれまでしてきた仕打ちを思えば当然《とうぜん》だった。

〈宅建《たっけん》に合格《ごうかく》したくらいで、いい気になってたらあかんわ。もうなにがあっても大丈夫《だいじょうぶ》やというくらいに立ち直らなあかん。そのために、もっと上の資格《しかく》をめざそう。それから謝《あやま》りにいこう。それでも許《ゆる》してもらえるかどうかわからへんけど……〉

そう思った私《わたし》は、さっそく勉強を始めた。

司法書士《しほうしょし》というのは、簡単《かんたん》に言えば登記業務《ぎょうむ》の専門家《せんもんか》。

私《わたし》は、すぐに予備校《よびこう》の「司法書士受験合格講座《しほうしょしじゅけんごうかくこうざ》」というのを受講《じゅこう》した。民法《みんぽう》は宅建《たっけん》のときも少し勉強したので、わかっているつもりでいたのだが、とんだ勘違《かんちが》いだった。勉強の深さがちがう。宅建《たっけん》のときは、全科目合わせて一冊《さつ》の基本書《きほんしょ》で足りたのに、司法書士《しほうしょし》では、一科目に一冊《さつ》の基本書《きほんしょ》が必要《ひつよう》になった。

平成《へいせい》元年に受験《じゅけん》した。勉強して半年目だったが、自分ではそこそこできているつもりだった。

が、不合格《ふごうかく》。端《はた》から見れば当然《とうぜん》のことなのだが、私《わたし》は、不合格《ふごうかく》になったのを、本試験《ほんしけん》の問題の責任《せきにん》にした。

発表の日、私《わたし》を応援《おうえん》してくれている人たちが集まって、残念会《ざんねんかい》をしてくれた。この頃《ころ》には、私《わたし》の過去《かこ》をすべて知ったうえで「頑張《がんば》れよ」と応援《おうえん》してくれる人たちがいた。大平《おおひら》さんの仕事関係者《かんけいしゃ》や友人、そのまた友人。年齢《ねんれい》は二十歳代《さいだい》から五十歳代《さいだい》と幅広《はばひろ》い。ほとんどの人が一流大学を卒業《そつぎょう》しており、大手企業《きぎょう》に就 職《しゅうしょく》している人や設計事務所《せっけいじむしょ》の所長や、会社を経営《けいえい》しているような人ばかりだ。

その席上《せきじょう》で、大平《おおひら》さんは、

「残念《ざんねん》やったなぁ。だけどよう頑張《がんば》った。よう頑張《がんば》った」

と言ってねぎらってくれた。

なのに、私《わたし》は、不合格《ふごうかく》だったことがおもしろくなかったので、大平《おおひら》さんに突《つ》っかかった。

「問題が悪かってん」

「問題が？」

「そうやねん。どっちにでもとれるような聞き方してんねん。あんなんできるほうがおかしいわ」

そう言いきってしまった。すると大平《おおひら》さんは、かんでふくめるように話を続《つづ》けた。

「なにを言《ゆ》うてんの」

「なにが……」

「問題にけちをつけるのは、間違《まちが》いやで」

「しゃあけど、あんなんできるほうが、おかしいねん」

「かりにおかしい問題があったとしても、一つか二つやろ。それを間違《まちが》っても他《ほか》の問題ができてたら合格《ごうかく》できたんとちがうの？」

「そやけど、本試験《ほんしけん》なんて一点の差《さ》で、合否《ごうひ》が分かれるねんで」

「だけど、ちゃんと合格《ごうかく》してる人もいるんやろ。あんたと同じ問題を解《と》いて。宅建《たっけん》に一回で合格《ごうかく》したからって、調子にのってたらあかんよ」

「…………」

口をとがらすまねをして、ちょっとだけすねてみた。だけど、すぐに自分が悪いということに気づいた。

確《たし》かに、私《わたし》は、調子にのっていた。受からない試験《しけん》などない、とまではいかないまでも、そのような気になっていたのは事実だった。試験《しけん》勉強を始めて、よくわかっていないうちは、どこが問題なのかがわからない。細かい間違《まちが》いに自分で気がつかないから、合格《ごうかく》しているような気になるのである。そのときの私《わたし》はそういう状況《じょうきょう》だった。そのとき、叱《しか》られて気がついた。そして、

〈あ～あ。また叱《しか》られてしもたわ。だけど、試験《しけん》に落ちてよかったんかもしれへんわ。このまま合格《ごうかく》してたら、それこそ調子にのって、いい気になってたかもしれへん。また一から頑張《がんば》ろ……〉

と思った。

少しずつではあるが、反省《はんせい》するとともに物事をいいように考えられるようになってきてい

た。応援《おうえん》してくれている人たちが、

「私《わたし》もしょっちゅう、大平《おおひら》さんに叱《しか》られてますねん。きっと四十歳《さい》になっても五十歳《さい》になっても叱《しか》られてますわ。こんなことでめげていたらあきまへんで。あははぁ～」

「ほんま、そのとおり」

「叱《しか》られへんようになったらしまい」

「今日は、おいしいもん食べて、ゆっくり寝《ね》て、また明日《あした》から頑張《がんば》りはったらよろしいんや」

「そうや、そうや」

と言って、気遣《きづか》ってくれた。

〈みんな、やさしいなぁ～〉

その後もたびたび叱《しか》られながらも、勉強を続《つづ》けることができ、翌年《よくねん》の平成《へいせい》二年には、司法《しほう》書士試験《しょしけん》に合格《ごうかく》した。

両親とも徐々《じょじょ》にではあるが、関係《かんけい》を修復《しゅうふく》することができた。

平成《へいせい》三年一月には、さっそく、司法書士《しほうしょし》の登録《とうろく》をすませて業務《ぎょうむ》を始めた。仕事が落ち着いた頃《ころ》、実家を訪《たず》ねた。チャイムを鳴らすと母が玄関《げんかん》のドアを開けてくれた。

母の姿《すがた》を見て、

〈お母ちゃん……やつれたなぁ……〉

と思った。子どもの頃《ころ》、母は生き生きとした表情《ひょうじょう》をしていた。友達《ともだち》に「みっちゃんのお母ちゃん、きれいやなぁ」と言われるのがうれしかった。今、私《わたし》の目の前にいる母は、髪《かみ》も根本から真っ白で目も落《お》ち込《こ》んでいる。昔の面影《おもかげ》はまったくない。母をこんなふうにしてしまったのは自分だということを痛《いた》いほど感じた。

「こんにちは」

「上がってちょうだい」

他人のような挨拶《あいさつ》を交《か》わして、中に入った。そこは、私《わたし》が家を出た当時のままだった。家具もそのままの位置《いち》に置《お》かれてあった。傷《きず》のついたタンス……。

〈お父ちゃんも、お母ちゃんも、今までどんな思いで暮《く》らしてきたんやろ……〉

自分がつけたタンスの傷《きず》を見て、胸《むね》が締《し》めつけられそうになった。

私《わたし》は、両親と向かい合わせに座《すわ》った。父も母も座《すわ》ってうつむいたまま、なにも話さない。

私《わたし》はとにかくこれまでのことを謝《あやま》らなければいけないと思った。

「お父ちゃん、お母ちゃん、今まで……ごめんなさい」

手をついて頭を下げた。両親は無言《むごん》のままだった。しばらく沈黙《ちんもく》が続《つづ》いた。重苦しい空気が流れる。

〈やっぱり、許《ゆる》してもらわれへんのやわ……当たり前やな。私《わたし》がこれまでしてきたことを考えたら許《ゆる》してもらわれへんかっても当然《とうぜん》やわ……〉

私《わたし》は、また出直そうと思い、席《せき》を立とうとした。そのとき、父が、

「みっちゃん、もう、ええよ……もうええ……」

と声をつまらせた。父の目から涙《なみだ》がこぼれていた。母も、

「よう頑張《がんば》ったな。よう頑張《がんば》った……」

そう言いながら、私《わたし》の手を握《にぎ》ってくれた。そして、

「よかった、よかった……」

と言いながら号泣《ごうきゅう》した。

〈お母ちゃん……〉

元から小さかった母が、さらにひとまわりもふたまわりも小さく見えた。

〈年老《としお》いた父と母を、もう悲しませることはできない。これからは、親孝行《おやこうこう》せな……〉

心に強くそう誓《ちか》った。

第七章　司法試験《しほうしけん》に向かって

まずは中学英語《えいご》から

その頃《ころ》、大平《おおひら》さんに、次の目標《もくひょう》を決めたらどうかと言われた。

「せっかくここまでできたんやから、次なにか受けてみいひんか？」

「なになにしよ」

「司法試験《しほうしけん》はどうや」

「なに、それ？」

「裁判官《さいばんかん》とか検事《けんじ》とか弁護士《べんごし》になるための試験《しけん》や」

「弁護士《べんごし》やったら知ってるよ。裁判官《さいばんかん》も検事《けんじ》も知ってる」

「そら、知ってるやろな」

「おっちゃんそれがええと思うの？」

「ええと思うなあ」

「ほんまに?」

「ほんまや」

「ふ〜ん」

「どうや、めざしてみぃひんか。中卒《ちゅうそつ》でも頑張《がんば》ればできるということを証明《しょうめい》してみ」

「ほな、そうするわ」

恥《は》ずかしいかな、そのときの私《わたし》は、司法試験《しほうしけん》の内容《ないよう》については、なにも知らなかった。ただただ、私《わたし》は、両親や、大平《おおひら》さん、それに心から応援《おうえん》してくれている人たちに、

「よう頑張《がんば》ったな。おめでとう」

とほめてもらいたかった。そしてもっともっと認《みと》めてもらいたかった。そのために司法試《しほうし》験《けん》に挑戦《ちょうせん》してみようと思った。最難関《さいなんかん》と言われている試験《しけん》とは知らずに……。

翌日《よくじつ》、本屋に行って、司法試験《しほうしけん》に関《かん》する本を買い、いろいろと調べた。司法試験《しほうしけん》は、学《がく》歴《れき》、年齢《ねんれい》、性別《せいべつ》の制限《せいげん》なく誰《だれ》でも受験《じゅけん》できる。そして、毎年一月に行われる一次試験《しけん》から受ける必要《ひつよう》がある。しかし、この一次試験《しけん》は一定の場合には免除《めんじょ》され、ほとんどの受験生《じゅけんせい》は一次試験免除《しけんめんじょ》で二次試験《しけん》から受験《じゅけん》しているということがわかった。

そしてその一定の場合とは、例《たと》えば大学の法学部《ほうがくぶ》だと、一般教養《いっぱんきょうよう》を修了《しゅうりょう》した時点、つまり三回生のときから、二次試験《しけん》を受験《じゅけん》できることがわかった。

私《わたし》は、免除《めんじょ》の対象《たいしょう》にならないと思ったので、一次試験《しけん》の勉強を始めようと思い、過去《かこ》の問題集を買った。これには、過去《かこ》十年間に出題された本試験《ほんしけん》問題とその解答《かいとう》がのっていた。ざっと目を通してみた。

が、さっぱりわからない。

〈う～ん。英語《えいご》を勉強するだけでもかなりかかるなぁ。どうしよう……大学に入れば三回生から免除《めんじょ》になるけど、大学に入るためには大検《だいけん》に合格《ごうかく》せなあかんしな……〉

あれこれ悩《なや》んでいたある日、いつも読んでいた新聞に、大学の通信《つうしん》教育の広告《こうこく》が出ていた。

〈通信《つうしん》かて、大検《だいけん》に合格《ごうかく》せな入られへんやろうしなぁ〉

と思いながらも、その広告欄《こうこくらん》をまじまじと眺《なが》めていた。そのとき、

――大学入学資格《しかく》認定《にんてい》制度《せいど》あり。入学資格《しかく》のない方でも入れます――

という文字が目に入った。もう一度読み直した。

〈間違《まちが》いない。入学資格《しかく》がなくても入れると書いてある。どういうことやろ……〉

さっそくその某《ぼう》大学に電話をかけてみた。

某《ぼう》大学の通信《つうしん》教育部には特修生《とくしゅうせい》コースというのがあり、一年間で高校三年間分の科目についてレポートを提出《ていしゅつ》して合格点《ごうかくてん》がもらえれば、同大学の通信《つうしん》教育部の一年生に入学できるというものだった。私《わたし》はさっそく入学手続《てつづ》きをとった。A、B、Cと三コースがある中で、中卒《ちゅうそつ》の私《わたし》は、いちばん科目数の多いCコースになった。

〈十四科目かぁ。ちょっとしんどそうやな〉

思ったとおり、本当に大変《たいへん》だった。高校受験経験《じゅけんけいけん》のない私《わたし》にとっては、この一般教養《いっぱんきょうよう》科目というのが非常《ひじょう》に難《むずか》しい。高校生にはなんでもないような問題でも、ポイントがよくわからない。


まず英語《えいご》から勉強しようと思った。設題《せつだい》を見た。が、さっぱりわからない。

そこで、適当《てきとう》な英文《えいぶん》を見つけてそれを日本語にしてみようと思った。

――I answer for it that this information is true.――

辞書《じしょ》を引いた。私《わたし》が購入《こうにゅう》した辞書《じしょ》は旺文社《おうぶんしゃ》のハイトップ英和辞典《えいわじてん》で、これは初《はじ》めて英語《えいご》を勉強する中学生用のもの。発音記号のあとにカタカナで書いてくれているのが初心者《しょしんしゃ》にとってはうれしい。

〈Iは〝私《わたし》が〟、answerは〝答える〟、forは……ぎょうさんあるなぁ～、とりあえず、〝～に向かって〟にしとこ、itは〝それ〟、thatは〝あれ〟、thisは〝これ〟、informationは〝情報《じょうほう》〟、isは〝です〟、trueは〝真実〟……か。えっ、なに？　これ？〉

中学一年生のときに英語《えいご》を勉強した記憶《きおく》をたぐり寄《よ》せた。

〈たしか、文には主語と述語動詞《じゅつごどうし》が一つずつやったなぁ……。〝私《わたし》は〟が主語で〝答える〟が述語動詞《じゅつごどうし》かな？　でもそのあとの、〝あれ〟、〝これ〟、〝情報《じょうほう》〟は……あっそうか、これと情報《じょうほう》で〝この情報《じょうほう》〟……かぁ。でも、その前の、〝あれ〟はどういう意味や、それに、〝です〟が述語動詞《じゅつごどうし》とすると、どれが主語でどれが述語動詞《じゅつごどうし》やろ、あっ、あかんわ、forの意味が全然《ぜんぜん》わからへん……頭痛《いた》……〉

とにかく全然《ぜんぜん》わからなかった。もう一度辞書《じしょ》を引き直した。よく読んでみると、answer forで〝責任《せきにん》を持つ〟という意味であることがわかった。しかし、それでも日本語にできない。が、できないといって嘆《なげ》いてみてもしかたがない。

私《わたし》は中学一年生の勉強からやり直そうと思った。本屋に参考書《さんこうしょ》を探《さが》しにいった。英語《えいご》のコーナー。かなりのスペースを占《し》めている。NHK《エヌエイチケー》の教材《きょうざい》をはじめ、ありとあらゆる英語《えいご》関係《かんけい》図書が並《なら》んでいて圧倒《あっとう》された。なんとか短時間で学習できるいい本がないか、と片《かた》っ端《ぱし》から手に取り、パラッとめくってみる。次々本を手にしてみたが、なかなか思うようなものがない。立ちっぱなしで疲《つか》れた私《わたし》はその日はなにも買わずに帰ってきた。

〈あんなにぎょうさんあったら、どれ選《えら》んでええかわからへん……〉

翌日《よくじつ》も同じコーナーに行った。〝中学英語《えいご》でこんなにペラペラ〟、〝英語《えいご》ここがわからない〟、〝中3英語《えいご》20日間でマスターできる本〟などたくさんある。今日はなにか買って帰らなければいけないと思っていた私《わたし》は、明日香《あすか》出版社《しゅっぱんしゃ》の〝中学英語《えいご》を3週間でマスターできる本〟と、〝高校3年分の英語力《えいごりょく》が3週間で身につく本〟というのを買った。とにかく短時間で英語《えいご》が理解《りかい》できる本をと思っていたからだ。

さっそく読んだ。徹夜《てつや》をして読んだ。が、あの英文《えいぶん》を日本語にできない。よく考えてみるとできなくて当たり前だった。この本は、学校の授業《じゅぎょう》を受け、ひととおり勉強している者にとっては、理解《りかい》できてわかりやすいいい本だが、これまで勉強したことのない者が読んで理《り》解《かい》できるようにはなっていない。私《わたし》は社会人であるという意識《いしき》がはたらき、一般《いっぱん》のコーナーにしか目が向かなかった。これが失敗《しっぱい》の原因《げんいん》だった。謙虚《けんきょ》な気持ちになって、最初《さいしょ》から中学生用のコーナーに行くべきだった。時間を無駄《むだ》に使ってしまったことを反省《はんせい》した。

翌日《よくじつ》、今度は中学生用のコーナーに行った。そこでもかなりの数の参考書《さんこうしょ》が並《なら》んでいた。私《わたし》は、目的《もくてき》を絞《しぼ》った。

〈とにかく、あの英文《えいぶん》を日本語に直せるだけの文法《ぶんぽう》が理解《りかい》できればいい……〉

並《なら》べられている全部の本を手に取って見た。内容的《ないようてき》にどれがいいのか判断《はんだん》がつかない。そこで読みやすさという点で、開隆堂《かいりゅうどう》の〝サンシャイン学習の友1、2、3〟を購入《こうにゅう》した。

ひととおり読んでみた。1と2に書かれている文法《ぶんぽう》は理解《りかい》でき、読み進めることができた。ところが、3に入ると、関係代名詞《かんけいだいめいし》で止まってしまった。例《たと》えば、

——a man who looked sad は、悲しそうに見える人の意味。who は関係代名詞《かんけいだいめいし》。who 以下《いか》は悲しそうに見えるの意味で、前の名詞《めいし》a manを修飾《しゅうしょく》する形容詞《けいようし》の働《はたら》きをする。——

と解説《かいせつ》されているが、なんとなくわかったようでわからない。このなんとなくわかったようでわからないというのがいちばんやっかいだ。

〈1と2に書かれている文法《ぶんぽう》は理解《りかい》できるのに、なんでやろ?〉

そこで、なぜそうなのかについて考えた。

〈そうや、1と2に書かれている文法《ぶんぽう》は、中学生のときに授業《じゅぎょう》で聞いてたからやわ……。それで理解《りかい》ができたんや。でも3は中学三年生用やから、まったく授業《じゅぎょう》に出てへんし聞いてへ

んからわからへんのやわ……〉
この本は、教科書ガイドといわれる本で、中学生が学校の授業《じゅぎょう》を受けながら予習や復習《ふくしゅう》をするために使う場合には非常《ひじょう》に使いやすい。でも結論《けつろん》しか書かれていないため、授業《じゅぎょう》を受けていない者が学習するには、理解《りかい》しにくい。
私《わたし》は、わかりやすい文法《ぶんぽう》の本を探《さが》しにまた本屋に行った。文法《ぶんぽう》の本はたくさんあった。順《じゅん》番《ばん》に「はじめに」を読んでいった。そして何冊目《なんさつめ》かで、三友社出版《さんゆうしゃしゅっぱん》の〝たのしい英文法《えいぶんぽう》〟という本を手にした。この本の「はじめに」には次のように記載《きさい》されていた。
――ただ文法《ぶんぽう》の規則《きそく》をならべて、さあ暗記しなさい、というのではなく、どこからそのような規則《きそく》が生まれてくるのか、また、なぜそうなるのか、ということをできるだけ自分で考えるようにみなさんに求《もと》めている。なぜ Why？――と考えることは、人間にとってこの上なくたいせつなことなので、英文法《えいぶんぽう》についても「なぜか？」をいつも考えるようにした――
私《わたし》は、読んだ瞬間《しゅんかん》、
〈この本や、探《さが》してたんは、こんな本や……〉
と思い、この本を購入《こうにゅう》した。どんな勉強でも、なぜそうなるのかということを自分で考えることの大切さを、身にしみて感じていたからだ。その日、さっそく読んでみた。思っていたとおりの本だった。関係代名詞《かんけいだいめいし》のところを見ると、次のように説明《せつめい》されていた。

――I have a dog. The dog runs fast. ぼく、犬もってる。その犬、はやく走るよ。子どもたちは、自分がはやく走る犬をもっていることをひとに知らせたいとき、このような言い方をします。――古い時代の英語《えいご》も、ちょうどそれと同じようだったといわれています。――ところが中世になって、このような二つの文をくっつけて一つにしてしまうようになりました。I have a dog that runs fast. この that は、「それは(その犬は)」というふうに、前の a dog をくりかえす代りに使った代名詞《だいめいし》であるとともに、二つの文を一つに結《むす》びつけ関係《かんけい》させてやるはたらきをも持つので「関係代名詞《かんけいだいめいし》」と名がつけられたのです。――We respect the people. このような文に出合ったとします。そうすると私《わたし》たちは、「そのような人々を、というが、いったい、そのような人々とは誰《だれ》なのだ?」とたずねてみたくなるでしょう。そしてその問いに対して、「それは誰《だれ》か(who)といえば、いっしょうけんめい働《はたら》くような人たちのことだ。」というような答えが返ってくるでしょう。(もちろんこれは一例《いちれい》であって、もっとちがった答えが返ってくることもあるわけですが)「それは誰《だれ》か(who)というと、……」という部分だけはいつも同じです。――I respect the people who work hard.(私《わたし》は、尊敬《そんけい》する、そのような人々を、だれかといえばそれは、はたらく、いっしょうけんめい)「私《わたし》は、いっしょうけんめい働《はたら》くような人々を尊敬《そんけい》する。」――

私《わたし》は、教室で先生の授業《じゅぎょう》を受けているような感じがした。そして、今までなんとなくわからなかったところが、この本のおかげで理解《りかい》することができた。答えのみ丸暗記するという勉強方法《ほうほう》では、応用《おうよう》がきかない。なぜそうなるのかという考え方を教えてもらえば、それを元に自分で考えることができる。私《わたし》は本当によい本に巡《めぐ》り合《あ》えたと思った。

中学生で学ぶ英語《えいご》をひととおり勉強したあと、高校生で学ぶ範囲《はんい》の勉強をするため、参考書《さんこうしょ》を探《さが》しにいった。できれば同じ本で高校生用のものがあればいちばんよかったのだが、残念《ざんねん》ながらなかった。そこで、啓林館《けいりんかん》の〝力のつく高校英文法《えいぶんぽう》〟という本を購入《こうにゅう》した。基本的《きほんてき》なことは勉強ずみであったので、自分で考えながら読み進めていくことはできた。が、中学生英語《えいご》とは雲泥《うんでい》の差《さ》で、さすがに難《むずか》しい。どうしようかと悩《なや》んだ。そのとき、ふと応援《おうえん》してくれている人たちの顔が浮《う》かんだ。

〈そうや、そうや、そういえばほとんどの人が大学卒業《そつぎょう》してはったんやわ。大学卒業《そつぎょう》してはらへん人も、高校は卒業《そつぎょう》してはるわ。いっぺん聞いてみよ……〉

次の日、一人の人に電話をしてみた。

「あのぉ～、英語《えいご》教えてもらえませんか……」

「えっ、英語《えいご》を？」

「はい、高校英語《えいご》を勉強してるんですけど、どうしても長文読解《どっかい》というのができへんのです」

「高校英語《えいご》か～、もう卒業《そつぎょう》してだいぶなるから覚《おぼ》えてるかなぁ～」

「なんとか一週間でできるようになりたいんです」

「いっいっ一週間……」

「他《ほか》にせなあかん科目がぎょうさんあって、そんなに時間をさけへんのです」

「そうやな～、ほな二、三日経《た》ってから来てくれはる？」

と言って引き受けてくれた。そして、仕事で忙《いそが》しいのに、迷惑《めいわく》そうな顔ひとつせず、親切に教えてくれた。文脈《ぶんみゃく》のつかみ方、英語《えいご》独特《どくとく》の構文《こうぶん》の覚《おぼ》え方、直訳《ちょくやく》でない訳《やく》し方……。ポイントを押《お》さえた説明《せつめい》は本当に理解《りかい》しやすかった。

「いや～、私《わたし》も受験《じゅけん》時代は英語《えいご》で苦労《くろう》しましたから……」

そう言ったその人の目は充血《じゅうけつ》していた。

〈きっと、私《わたし》に教えるために、わざわざ勉強してくれはったんや……睡眠《すいみん》時間もけずって

……〉

そう感じた私《わたし》は、感謝《かんしゃ》の気持ちで胸《むね》がいっぱいになった。そして、なんとしてでもやり遂《と》げなければいけないという気持ちになった。

英語《えいご》の勉強が終わると、次は数学の勉強を始めた。英語《えいご》の勉強を始める際《さい》に失敗《しっぱい》したので、今度は最初《さいしょ》から、中学生用のコーナーに参考書《さんこうしょ》を探《さが》しにいった。そして、学習《がくしゅう》研究《けんきゅう》社《しゃ》の〝ニューコース中1数学〟を購入《こうにゅう》した。数学は積《つ》み重《かさ》ねの科目で途中《とちゅう》から入ることができないので、第一章「正の数・負の数」というごくごく初歩的《しょほてき》なところから、勉強した。中学三年生まで同じ参考書《さんこうしょ》で勉強した。

そうやって基礎固《きそがた》めをしたあと、高校数学をするため、同じく学習《がくしゅう》研究《けんきゅう》社《しゃ》の〝基礎《きそ》からベスト数学Ⅰ・Ⅱ〟というのを購入《こうにゅう》した。最初《さいしょ》から読んだが、中学生の数学と比較《ひかく》できないほど難《むずか》しい。一か月で数学をするという予定をたてているのに、なかなか思うようにはかどらない。いらいらする。そのうち集中して勉強できなくなった。

〈なんで、今頃《いまごろ》こんな勉強せなあかんのやろ……もういやや……〉

私《わたし》は、教科書を本棚《ほんだな》にしまい、作りかけたノートをゴミ箱に捨《す》てて、買い物に出かけた。

日曜日の百貨店《ひやっかてん》……。親子づれの買い物客でごった返していた。食器《しょっき》売り場に行ってガラスの食器《しょっき》を眺《なが》めていた。私は、気分転換《てんかん》をしたいときはよくこの売り場に行った。いつものように眺《なが》めているのに、今日はなぜかすっきりしない……。なにかひっかかるものがある。喫茶店《きっさてん》に入ってゆっくりとコーヒーを飲みながら、落ち着いて考えた。

〈さっきは、もういやや……もう勉強するのやめたい！　と思ったけど、よう考えたら、自分の意思でやると決めたんや。誰《だれ》かに強制《きょうせい》されたわけでもなんでもない……。それにたった一か月で数学の勉強をしようと予定をたてて……あほちゃうか……できるわけないやん。はなっから無理《むり》な計画たてて、それで思いどおりにならへんからって投げ出すなんて、愚《おろ》かやったわ。帰ってじっくり参考書《さんこうしょ》読んでみよ……〉

そう思い直した私《わたし》は、自宅《じたく》に戻《もど》り、さっき捨《す》てたノートを拾い、本棚《ほんだな》から参考書《さんこうしょ》を取り出して机《つくえ》に置《お》いた。そして最初《さいしょ》に記載《きさい》されている――新学習法《がくしゅうほう》のすすめ――という箇所《かしょ》を何度も読んで、そのとおりに実行することを決めた。そして繰《く》り返《かえ》し繰《く》り返《かえ》し問題を解《と》いた。

そうしているうちに定理や公式を一つ一つ覚《おぼ》えることができた。ただどうしてもわからないところは、英語《えいご》のときと同じように、応援《おうえん》してくれている人たちに教えてもらった。

そのおかげで全部の科目のレポートを提出《ていしゅつ》でき、無事合格点《ぶじごうかくてん》をもらうことができた。

〈これでやっと大学に入れてもらえるわ……〉

ほっとした。

通信《つうしん》教育で単位《たんい》取得《しゅとく》

レポートの提出《ていしゅつ》が終わると、入学させてよいかどうかを決める面接《めんせつ》が行われる。私《わたし》は、指定された日に、はりきって面接《めんせつ》に出かけた。面接官《めんせつかん》は一人だった。面接《めんせつ》は無事《ぶじ》に終わり入学手続《てつづ》きの説明《せつめい》に入った。私《わたし》は、入学させてもらえることがわかったので、面接官《めんせつかん》に、

「あのう、通信《つうしん》教育でも一般教養《いっぱんきょうよう》の単位《たんい》を全部修了《しゅうりょう》すれば、司法試験《しほうしけん》の一次試験免除《しけんめんじょ》になるんですよね？」

と尋《たず》ねた。司法試験《しほうしけん》の一次試験《しけん》を免除《めんじょ》してもらうために入学するつもりなので、その点を確認《かくにん》しておきたかったからだ。すると、その面接官《めんせつかん》は、

「あなたねぇ、司法試験《しほうしけん》というのは、最難関《さいなんかん》の試験《しけん》なんですよ。日本でいちばん難《むずか》しいと言われている試験《しけん》なんですよ。東大《とうだい》や京大《きょうだい》を卒業《そつぎょう》してても難《むずか》しいのに、なぁ〜にを言ってるんですか……」

と言ったきり、私《わたし》の問いに答えることなく、手続《てつづ》きの説明《せつめい》に話を戻《もど》した。

〈私《わたし》は、なにも合格《ごうかく》するかどうかを聞いてるんやない。一次試験《しけん》が免除《めんじょ》になるかどうかを聞いただけや。中卒《ちゅうそつ》で司法試験《しほうしけん》受けたらあかんのか……〉

腹《はら》が立った。本当に、ばかにされたような気がした。が、そのときの私《わたし》は、

〈よ～し、絶対《ぜったい》に合格《ごうかく》したる。なにがなんでも合格《ごうかく》したる。そのときは、今言《ゆ》うたこと忘《わす》れるな。ふん〉

と思った。

面接《めんせつ》が終わり、大学を出て駅に向かって歩いていた。

〈そういえば……こんな場面、以前《いぜん》どこかであったような気がするなぁ～〉

先ほど、面接官《めんせつかん》に言われたことを思い出していた。

〈そうや、そうや、中学生の頃《ころ》や……。美容《びよう》学校の合格《ごうかく》通知書を担任《たんにん》の教師《きょうし》に真っ先に見せにいって、冷《つめ》たい態度《たいど》をとられたときや……〉

状況《じょうきょう》も言われた内容《ないよう》も異《こと》なっているが、同じ感じを受けていた。

〈もしあの頃《ころ》の私《わたし》なら、今のようなこと言われたら、きっとやる気をなくしてたやろうなぁ～、ちょっと言われただけですねてしもて……ほんまあほやったなぁ～、あのとき、なんで一流

の美容師《びようし》になって見返してやると思うことができへんかったんやろ……そうすれば、大きく道を踏《ふ》み外《はず》すこともなかったんや……どんなことを言われても、自分の受け止め方次第《しだい》でだいぶちがうんやなぁ……〉

と改《あらた》めて思った。

平成《へいせい》四年四月、同大学の通信《つうしん》教育部法学部《ほうがくぶ》に入学できた。このとき、二十六歳《さい》。

通信《つうしん》教育といっても、まったく学校に行かなくてもよいわけではない。通信《つうしん》科目の他《ほか》に、いわゆるスクーリングという面接授業《めんせつじゅぎょう》を受けなければならない。一年次は、通信《つうしん》科目で二十九単位《たんい》（九科目）、面接授業《めんせつじゅぎょう》で七単位《たんい》（四科目）の合計三十六単位《たんい》取得《しゅとく》する必要《ひつよう》がある。

単位《たんい》の取得方法《しゅとくほうほう》は、通信《つうしん》科目は、まず教材《きょうざい》が送られてくる。そして、科目ごとに設《もう》けられている〝設題《せつだい》〟にもとづいて、レポートを作成《さくせい》し提出《ていしゅつ》する。これを提出《ていしゅつ》したあと、奇数《きすう》の月に行われている科目終末《しゅうまつ》試験《しけん》を受けて合格《ごうかく》すれば単位《たんい》が取得《しゅとく》できる。面接授業《めんせつじゅぎょう》は、一科目十八時間の授業《じゅぎょう》を受け、最終日《さいしゅうび》に単位《たんい》修了《しゅうりょう》試験《しけん》を受けて合格《ごうかく》すれば単位《たんい》が取得《しゅとく》できる。

面接授業《めんせつじゅぎょう》の場合、わからないことがあれば、教授《きょうじゅ》にいくらでも質問《しつもん》ができるため、単位《たんい》も取りやすい。ところが、通信《つうしん》科目の場合は、送られてくる教材《きょうざい》だけではレポートすら書けない。毎日のように本屋に行った。わからないところは、高校科目の勉強のときと同じように教えてもらった。そして丸暗記をした。

高校科目のときのようにゆっくり時間をかけていられない。特《とく》に英語《えいご》については、教科書の最初《さいしょ》から最後《さいご》まで丸暗記をして科目終末《しゅうまつし》試験《けん》を受けた。これで本当に勉強をしていると言えるのかどうか疑《うたが》わしい。きっと身にもつかないだろうと思う。

が、当時の私《わたし》は、内容《ないよう》を理解《りかい》している時間がなかった。とにかく早く単位《たんい》を取らなければ司法《しほうし》試験《けん》二次試験《しけん》の勉強ができない。

私《わたし》は、周《まわ》りの人たちに助けられながらも、無事《ぶじ》必要《ひつよう》な単位《たんい》を取得《しゅとく》することができた。

父の発病

平成《へいせい》五年四月、二回生になった。このとき、二十七歳《さい》。

〈通信《つうしん》科目の単位《たんい》を五月と七月の試験《しけん》で取って、面接授業《めんせつじゅぎょう》の単位《たんい》を八月にまとめて取れば、一般教養《いっぱんきょうよう》の単位《たんい》を全部取れる。頑張《がんば》ろ……あと、もうちょっとや……〉

そんな矢先、父が癌《がん》であることがわかった。それは、母からの電話だった。

「みっちゃん……」

「お母ちゃん？　どないしたん。こんな朝早《は》よう……」

「お父ちゃんの具合がちょっと悪いねん」

「えっ、どないしたん。どこ悪いのん？」

「お尻《しり》のあたりが痛《いた》いって言《ゆ》うてんねん」

「お尻《しり》？」

「そうやねん」

「病院行ったん？」

「まだやねん。どっかいい病院知らん？」

「わかった。すぐに、探《さが》すから、その間お父ちゃんのこと頼《たの》むわ」

「こっちに来てくれる？」

「うん、すぐ行く」

　電話を切ったあと、すぐに大平《おおひら》さんに連絡《れんらく》した。私《わたし》は、腸《ちょう》の病気と思ったので、有名な病院を紹介《しょうかい》してもらった。場所は倉敷《くらしき》だった。すぐに母に電話を入れ、入院の準備《じゅんび》をしてくれるように伝《つた》えた。そして、迎《むか》えにいった。

父は痛《いた》がって、一人では歩けない状態《じようたい》だったので、母と私《わたし》で両脇《りようわき》をかかえ、新幹線《しんかんせん》に乗って岡山《おかやま》まで行き、そこからタクシーで病院に向かった。病院に到着《とうちやく》すると、時間外にもかかわらず、先生がとても親切に診察《しんさつ》してくれた。私《わたし》は、

〈ここまで来て、ほんまによかった〉

と胸《むね》をなで下ろした。しばらくすると、診察《しんさつ》が終わったということで、診察室《しんさつしつ》まで私《わたし》が呼《よ》ばれた。母は別《べつ》の部屋にいる父につき添《そ》っていた。

先生は私《わたし》の顔をじっと見て、

「よく聞いてくださいね」

と前置《まえお》きをした。私《わたし》は、なにかいやな予感がしながら、

「はい」

と言うと、先生は、

「お父さんは、腸《ちよう》の病気ではありません」

「えっ……じゃあ……なんの病気ですか……」

「癌《がん》です。それもかなり進行しています」

と言った。

〈お父ちゃんが癌《がん》……〉

目の前が真っ暗になった。

私《わたし》は心の中で必死《ひっし》に否定《ひてい》した。が、現実《げんじつ》だった。

〈お父ちゃんを癌《がん》にしてしまったのは、私《わたし》や。私《わたし》さえ、あんな親不孝《おやふこう》なことして心配や苦労《くろう》ばっかりかけへんかったら、お父ちゃん癌《がん》なんかならへんかってん。私《わたし》や、私《わたし》が悪いんや……〉

私《わたし》は自分自身を責《せ》めた。そのとき、先生が、

「家の近くに大きな病院はありますか。もしあれば紹介状《しょうかいじょう》を書きます。もう少し詳《くわ》しい検《けん》査《さ》をしないとわかりませんが、もしかしたら手術《しゅじゅつ》ができるかもしれません」

とやさしく言ってくれた。

私《わたし》は、すぐに近くの県立病院の名前を言って紹介状《しょうかいじょう》を書いてもらった。そして、先生に、母にはこのことを言わないでほしいとお願《ねが》いした。母は、

〈これでお父ちゃんの病気も治《なお》る……〉

と思い、しんどい思いをして倉敷《くらしき》の病院まで来たのに、この場で真実を告《つ》げるのはあまり

にもショックが大きい。そうなると、父にもわかり、無事《ぶじ》に自宅《じたく》まで戻《もど》れないかもしれないと思ったからだ。

その日はなんとか自宅《じたく》に戻《もど》り、翌日《よくじつ》、紹介状《しょうかいじょう》を持って県立病院に行った。そして精密検《せいみつけん》査《さ》を受けた。私《わたし》は、主治医《しゅじい》の先生に、

「父は、助かりますか?」

と、すがるような思いで尋《たず》ねた。すると先生は、

「あとどれぐらい持つかわかりません。かなり進行しています。手術《しゅじゅつ》をしても骨盤《こつばん》にまで転《てん》移《い》している癌《がん》を取《と》り除《のぞ》けるかどうかわかりません。どうしますか」

と重い表情《ひょうじょう》で答えた。私《わたし》は、手術《しゅじゅつ》をして少しでも長生きできるならと思い、手術《しゅじゅつ》をお願《ねが》いした。

〈お父ちゃんになんて説明《せつめい》しよう。お母ちゃんにもまだ言ってない。お母ちゃんにだけは先に言わなあかんなぁ……〉

その日は一睡《いっすい》もできなかった。泣《な》いてもしかたがない、そう自分に言い聞かせても、涙《なみだ》が止まらない。母にもいつまでも黙《だま》っていることはできない。

翌日《よくじつ》、母に父が癌《がん》であることを伝《つた》えた。

「お母ちゃん」

「ん？」

「じつは……お父ちゃん……」

「お父ちゃんがどないしたん？」

「お父ちゃん、癌《がん》やねん」

「えっ、嘘《うそ》や……」

「癌《がん》やねん……」

「倉敷《くらしき》の病院ではどうもないって言われ……」

母はそこまで言うと、なにもかも気づいたようで、

「そう、そうやったん、ごめん、お母ちゃん、なんにも気がつかんと、みっちゃんにばっかりまかせて……でもお父ちゃんにはそのこと言われへんな。みっちゃんが司法試験合格《しほうしけんごうかく》するの楽しみにしてるもんな……」

私《わたし》はこのとき、

〈司法試験《しほうしけん》に合格《ごうかく》することを楽しみにしてくれている父と、目の前で必死《ひっし》に涙《なみだ》をこらえてい

る母のためにも、父が生きている間に絶対合格《ぜったいごうかく》しなければならない、これまでの親不孝《おやふこう》の償《つぐな》いに……〉

と心に誓《ちか》った。

父は、その後しばらくして手術《しゅじゅつ》を受けた。完全看護《かんぜんかんご》でつき添《そ》う必要《ひつよう》はないと言われたが、父が入院をしていた約《やく》一か月ほどの間、母と私《わたし》は毎日、朝九時頃《ごろ》から夕方五時頃《ごろ》まで病室につめた。父が寝《ね》ているベッドの横に応接《おうせつ》セットが置《お》かれていたので、そこで勉強をした。勉強している私《わたし》の様子を見て父は、

「どうや、わかるか？　難《むずか》しいのとちゃうか？」

と聞いてきた。私《わたし》は、

「大丈夫《だいじょうぶ》。大丈夫《だいじょうぶ》。おちゃのこさいさいや……」

と返事をした。同じ会話が、毎日毎日繰《く》り返《かえ》された。

当時、憲法《けんぽう》の勉強を始めたばかりで、基本書《きほんしょ》を読んでも全然《ぜんぜん》わからないという段階《だんかい》だったが、父を安心させたいがために、同じ返事を繰《く》り返《かえ》した。

父は、人工肛門《こうもん》になったが、退院《たいいん》して自宅療養《じたくりょうよう》ができるまでになった。しかし、骨盤《こつばん》のと

ころの癌《がん》を全部は取《と》り除《のぞ》けなかったため、いつ他《ほか》に転移《てんい》するかわからない状態《じょうたい》だった。

結局《けっきょく》、母も私《わたし》も癌《がん》のことは父には言えなかった。でも、父はうすうす知っていたようだった。母も私《わたし》もなにも言わずに必死《ひっし》に隠《かく》そうとするので、知らないふりをしていてくれたんだと思う。

〈お父ちゃん、あとどれぐらい生きられるかわからへん。ひょっとしたらあと一年持つかどうかもわからへん。お父ちゃんが生きているうちに、なんとか合格《ごうかく》の声を聞かせたい……絶《ぜっ》対《たい》に一回で合格《ごうかく》せなあかん……〉

私《わたし》は、趣味《しゅみ》や楽しみは全部捨《す》て、〝翌年《よくねん》に絶対合格《ぜったいごうかく》する〟ということだけを考えて、死にものぐるいで勉強した。

猛勉強《もうべんきょう》

司法書士試験《しほうしょししけん》の勉強を始めた頃《ころ》、宅建《たっけん》と勉強の深さがちがうので驚《おどろ》いたが、司法書士《しほうしょし》と司《し》法試験《ほうしけん》の勉強の深さもかなりちがった。一科目に一冊《さつ》の基本書《きほんしょ》どころか、一科目に最低《さいてい》でも二冊《さつ》、民法《みんぽう》などは五冊《さつ》くらい必要《ひつよう》になった。

〈普通《ふつう》に勉強してたら何年あっても足らへんわ。短期間で合格《ごうかく》する方法《ほうほう》を考えなあかん……択一試験《たくいつしけん》に合格《ごうかく》しても論文試験《ろんぶんしけん》に失敗《しっぱい》したら、次の年はまた択一試験《たくいつしけん》から受けなあかん……ということは、まずは択一試験《たくいつしけん》に合格《ごうかく》すればいい、という考えは捨《す》てなあかん。最初《さいしょ》から論《ろん》文試験《ぶんしけん》も視野《しや》に入れた勉強をせなあかんのやわ……〉

なんとしても翌年《よくねん》には合格《ごうかく》したいと思っていた私《わたし》は、論文試験《ろんぶんしけん》の勉強から始めることを決めた。そして、まず予備校《よびこう》を探《さが》した。自宅《じたく》近くには、合格者《ごうかくしゃ》を毎年多数輩出《はいしゅつ》している予備校《よびこう》がいくつかあった。すべてのパンフレットを取《と》り寄《よ》せて、内容《ないよう》を検討《けんとう》した。そして受講《じゅこう》できるものはできるだけ受講《じゅこう》するようにした。

自宅《じたく》では睡眠《すいみん》をとる以外《いがい》は勉強をしているという状態《じょうたい》だった。朝八時に起床《きしょう》。顔を洗《あら》ったあと、朝食の用意をする。その間、基本書《きほんしょ》の重要《じゅうよう》なところを朗読《ろうどく》したテープをヘッドホンステレオで聞く。私《わたし》は内容《ないよう》を頭にたたき込《こ》むために、基本書《きほんしょ》を読むときは声を出して読んでいたので、あるとき、

〈せっかく声を出して読んでるんやから、これを録音《ろくおん》しておけば、食事の支度《したく》をしているときでも入浴《にゅうよく》しているときでも電車に乗っているときでも聞ける……〉

と思い、それ以降《いこう》、基本書《きほんしょ》を読むたびに録音《ろくおん》するようになった。

——責任《せきにん》は、行為者《こういしゃ》が自己《じこ》の行為《こうい》が法律上《ほうりつじょう》許《ゆる》されていないことを意識《いしき》でき、意識《いしき》すれば反対動機《どうき》を形成《けいせい》して適法行為《てきほうこうい》を決意することが期待可能《かのう》であるということを根拠《こんきょ》とする。それゆえ、行為者《こういしゃ》に故意《こい》・過失《かしつ》が認《みと》められるだけでは、行為者《こういしゃ》に責任非難《せきにんひなん》を加《くわ》えることはできず、責任《せきにん》を認《みと》めるためには、行為者《こういしゃ》が自己《じこ》の行為《こうい》の違法性《いほうせい》を意識《いしき》しえたこと、すなわち違法《いほう》性《せい》の意識《いしき》の可能性《かのうせい》が存在《そんざい》することを必要《ひつよう》とする。それゆえ、違法性《いほうせい》の意識《いしき》の可能性《かのうせい》は、故意《こい》と過失《かしつ》に共通《きょうつう》する責任要素《せきにんようそ》と解《かい》すべきである。——

食事の支度《したく》をしながら、イヤホンから聞こえてくる自分の声に集中する。食べ終わって後《あと》片《かた》づけをする頃《ころ》には、頭というか脳《のう》が「刑法《けいほう》モード」になっている。すると、その後の勉強がはかどる。

が、いつもいつもそう調子よくいくわけではない。自分の声が鼻について、いやになるときもあった。そんなときは無理《むり》をせずに、聞くのをすぐやめて頭を休めた。まだ何か月もあるのに、いやけがさしてしまうと本試験《ほんしけん》まで持たない。それから、しょっちゅう、大平《おおひら》さんに電話をしていた。

「おっちゃん。今、ひま?」

仕事中で忙《いそが》しいに決まっているのに、「今、ひま?」と突拍子《とっぴょうし》もなく電話をかけてくる自《じ》己中心的《こちゅうしんてき》な私《わたし》に、大平《おおひら》さんはいやな顔ひとつせず、話し相手になってくれた。

「も〜、教科書何回読んでも、知らん論点《ろんてん》ばっかり出てくるねん」

「そうやろうなぁ〜」

「やっても、やってもきりがないねん。限界《げんかい》なんやろか?」

「そんなこと、思うたら、あかん」

「雲をつかむような感じやねんけど……」

「今、みっちゃんは、頂上《ちょうじょう》の見えへん山を登ってるんや」

「えっ、頂上《ちょうじょう》の見えへん山?」

「そうや。頂上《ちょうじょう》の見える山は低《ひく》い。頂上《ちょうじょう》の見えへん山は高い。だけど、頂上《ちょうじょう》にたどりついたときの喜《よろこ》びは、どっちのほうが大きいと思う?」

「そら、頂上《ちょうじょう》の見えへん高い山のほうやわ」

「そうやろ。頂上《ちょうじょう》の見えへん山に登っているんや。今、六合目まで来てるんや。あと、もう少しや」

「六合目かぁ〜、そやな、頑張《がんば》ろ」

不安《ふあん》になったときはすぐに電話をした。

論文試験《ろんぶんしけん》の勉強は、基本書《きほんしょ》を読むことの他《ほか》、本試験《ほんしけん》の直前に見ることのできる自分なりの論証《ろんしょう》ノートを作ることが中心だった。毎日毎日六～七時間は文字を書いている。

そのうち右手に痛《いた》みが走るようになった。最初《さいしょ》は磁石《じしゃく》を貼《は》ったり、湿布薬《しっぷやく》を塗《ぬ》ったりして鎮《しず》めていたが、手を休める間もなく書《か》き続《つづ》けたので、腱鞘炎《けんしょうえん》になってしまった。それでも痛《いた》みをこらえて書《か》き続《つづ》けた。湿布薬《しっぷやく》と包帯《ほうたい》と痛《いた》み止《ど》めは、三種《さんしゅ》の神器《じんぎ》となった。腕《うで》だけではなく、同じ姿勢《しせい》で何時間も座《すわ》っているので、腰《こし》も背中《せなか》も肩《かた》も首もそこらじゅうが痛《いた》くなってくる。

ただ、どんなに遅《おそ》くても毎晩《まいばん》十時には眠《ねむ》ることに決めていた。子どもの頃《ころ》からよく眠《ねむ》るほうだったせいかもしれないが、一日十時間睡眠《すいみん》をとらなければ頭がすっきりせず、勉強に集中できなかった。そして眠《ねむ》っている時間以外《いがい》はすべて、勉強していた。いや、睡眠中《すいみんちゅう》も勉強していたかもしれない。考えてもわからなかったことが、翌朝《よくあさ》、目が覚《さ》めると答えがわかったということがしばしばあった。

とにかく、

〈合格《ごうかく》したい！　絶対《ぜったい》に合格《ごうかく》したい！〉

と毎日思い、来年に合格《ごうかく》することだけを考えた。

が、時々、

〈こんなことしてて、ほんまに合格《ごうかく》できるんやろか……〉

と思うときもあった。特《とく》に答案《とうあん》練習会などで、成績《せいせき》が合格《ごうかく》ラインに達《たっ》しなかったときは、そう思うことがしばしばあった。しかも、いったん不安《ふあん》になると悪いこと、つまり〈合格《ごうかく》しない〉ということばかり考えてしまう。

そこで、〝合格《ごうかく》するぞ〟という気持ちを持続《じぞく》させるため、白い紙に、

――合格《ごうかく》――

という文字を書いて、勉強机《べんきょうづくえ》の上に貼《は》った。それから、合格《ごうかく》と書いてあるもの、例《たと》えば魔法瓶《まほうびん》などに〝合格《ごうかく》〟というシールが貼《は》ってあると、それをはがして、いつも目にする場所に貼《は》ったりした。そうやって合格《ごうかく》の文字を脳裏《のうり》に焼《や》き付《つ》けた。

〈これで大丈夫《だいじょうぶ》や……合格《ごうかく》や！〉

――ほんまかいな――と言いたくなるのを我慢《がまん》した。

大平《おおひら》さんも時々心配して電話をくれた。

「どうや調子は……ちゃんとご飯《はん》食べてるか？」

「うん、食べてる」

「ほんまか？」

「大丈夫《だいじょうぶ》や。勉強もちゃんとしてる」

「一生懸命《いっしょうけんめい》してるのわかってるけど、体だけは大事にせなあかん」

「うん……」

「お父さんの体の調子はどうや？」

「昨日《きのう》も電話したけど、あんまり調子ようないみたいやねん」

「そうか、時たま帰ってるか」

「うん、一週間に一回は顔を見にいくようにしてる」

「そうか、そうせなあかんで……」

「うん……」

「なんとか長生きしてくれはったらなぁ～」

「うん。おっちゃん……来年、絶対合格《ぜったいごうかく》するから」

「そうかぁ～。楽しみやな。でもあんまり無理《むり》したらあかんで」

「うんわかってる。無理《むり》せえへん」

無理《むり》をするなと言ってくれる、大平《おおひら》さんの気持ちがうれしかった。うれしかったからこそ、なお期待に応《こた》えたいと思った。


実家にも、一週間に一回は帰るようにしていた。父は甘《あま》いものが大好《だいす》きだったので、おはぎや大福もちを買っていった。

「みっちゃんが持って帰ってきてくれるのは、ほんまにおいしいわ」

と、なにを届《とど》けても喜《よろこ》んでくれた。そして、試験《しけん》の一か月前になると、

「勉強ばっかりして体を壊《こわ》したらあかんで。無理《むり》したらあかん。試験《しけん》の日も近いんやし、毎週帰ってこんでもええよ。往復《おうふく》するだけで疲《つか》れるから」

と言って私《わたし》の体を心配してくれる。父のほうがはるかに調子が悪いのに……。

無理《むり》して行くとよけいに心配をかけるからと思い、帰らない代わりに毎日電話をした。

母が電話に出る。

「お母ちゃん、今日はなにも変《か》わったことない？」

「うん、ないよ。みっちゃんは？」

「ないない。お父ちゃんの体の調子はどう？」

「うん。元気やで。替《か》わるわな」

と言って父に替《か》わる。

「みっちゃんか。どうや無理《むり》してへんか？」

「うん。大丈夫《だいじょうぶ》や。お父ちゃんこそ無理《むり》してへん？」

「してへんしてへん。元気元気」

「調子悪かったらすぐ病院行ってや」

「大丈夫《だいじょうぶ》、大丈夫《だいじょうぶ》、この調子やったらあと三十年は生きられるわ……ははぁ〜」

毎日、同じ会話が繰《く》り返《かえ》される。父も母もめいっぱい、元気に振《ふ》る舞《ま》う。

が、父の体の調子がよくないことは、わかっていた。

〈お父ちゃん……ほんまはしんどいんやろうな。声もかれてたし。抗癌剤《こうがんざい》はきついて言うもん。でももうすぐ試験《しけん》やから私《わたし》にいらん神経《しんけい》つかわせたらあかんと思って、無理《むり》してんのやわ……〉

試験《しけん》を直前に控《ひか》えている私《わたし》に心配させないよう、必死《ひっし》で隠《かく》そうとしている両親に対し、なんとかその気持ちに応《こた》えたかった。

〈今すぐ会いにいきたい。でも、今の私《わたし》にできることは、試験《しけん》に合格《ごうかく》するために勉強することしかない。それしかない……〉

試験《しけん》まであとわずか、自宅《じたく》にこもって一心不乱《ふらん》に勉強した。徹夜《てつや》もした。もう……時間がない……。

第八章　難関突破《なんかんとっぱ》

最初《さいしょ》のハードル

平成《へいせい》六年五月、択一試験《たくいつしけん》を受験《じゆけん》した。択一試験《たくいつしけん》は、毎年、母の日に行われる。試験《しけん》会場は関西《かんさい》大学を選《えら》んだ。その日は雲ひとつないよい天気だった。憲法《けんぽう》・民法《みんぽう》・刑法《けいほう》の三科目のうちで、民法《みんぽう》がいちばん得意《とくい》だったので、私《わたし》は民法《みんぽう》から解《と》き始めた。

が、その年の民法《みんぽう》は難《むずか》しかった。一問目の問題文を読むと個数《こすう》問題だった。個数《こすう》問題は時間がかかりそうなのでとばして、二問目を読むと見解《けんかい》の組み合わせ問題だったので、問題文を読んだが答えが絞《しぼ》れない。?マークをつけて、次の問題に進む。

〈あかん……あかんがな。いつもみたいにすっきりと答えを絞《しぼ》られへん……なんでや。この問題の〝見解《けんかい》〟初《はじ》めて聞くけど、基本書《きほんしよ》に書いてあったかな?〉

無駄《むだ》なことを考えていた。基本書《きほんしよ》に書いてあろうがなかろうが、その見解《けんかい》を知っているか否《いな》かを問うているのではない。その見解《けんかい》に立てば、結論《けつろん》がどうなるかを問うているので、いずれにせよ、その場で考えなければ答えを出せない。問題文の横に、?マークをつける回数が多くなった。しかも強烈《きょうれつ》な問題が出てきた。

——次に掲《かか》げる命題Aと命題Bとの間に「AならばBであり、BならばAである」という関係《かんけい》が成《な》り立《た》つものは何個《なんこ》あるか。——

〈なんや……これ?〉

またしても個数《こすう》問題。私《わたし》は問題を解《と》くのがいやになってしまった。

鉛筆《えんぴつ》を机《つくえ》の上に置《お》いて、しばらくぼーっとした。

が、はっと我《われ》に返り、周《まわ》りを見ると、私《わたし》よりずーっと年下の受験生《じゅけんせい》が頑張《がんば》って問題を解《と》いていた。私《わたし》の教室は若《わか》い人が多いと思ったが、それもそのはず。司法試験《しほうしけん》の願書《がんしょ》を提出《ていしゅつ》する時点では、まだ大学二回生。一般教養修了見込《いっぱんきょうようしゅうりょうみこ》みということで、後回しにされるので、この部屋は大学三回生ばかり集められていた。周《まわ》りの様子を見て、

〈ここで負けたらあかん。最後《さいご》までやろう……今までなんのために勉強してきたかわからへん。それにお父ちゃんも、お母ちゃんも、おっちゃんも応援《おうえん》してくれてる……負けたらあかん……〉

そう思い、もう一度、問題文を最初《さいしょ》から読んだ。そしてなんとか時間内に全部解《と》くことが

できた。でも、合格《ごうかく》の手応《てごた》えがまったくない。答案《とうあん》練習会や模擬試験《もぎしけん》では、合格点《ごうかくてん》を取れてていると、合格点《ごうかくてん》を取れているときはかならず手応《てごた》えというものがあった。これまで手応《てごた》えがあったからなおさら不安《ふあん》になる。とりあえず解答《かいとう》はしてみたが、すっきりせず、くやしさと自分のばかさ加減《かげん》にいやけがさし、

〈も～、あかん。今年はこれで終わりかもしれへん……あ～あ、みんなにどない言《ゆ》うたらええんやろ……お父ちゃんが生きてるうちに、なんとか合格《ごうかく》の声を聞かせたいのに……〉

そう思いながら、マークシートに記入した。虚脱感《きょだつかん》が襲《おそ》ってくる。

自宅《じたく》に戻《もど》り、すぐに実家に電話をした。母が心配そうに聞いてくる。

「おかえり、しんどかったやろ」

「ううん。大丈夫《だいじょうぶ》。問題も全部できたし……」

私《わたし》は、両親に無用《むよう》な心配をかけたくなかったので、そう答えた。

「そう、今日は疲《つか》れたやろうから、早《は》よ、お風呂《ふろ》に入ってゆっくりしたら」

「うん、そうするわ」

「そうしい、そうしい」

「お父ちゃんにも心配せえへんように言《ゆ》うといて」

「うん。言《ゆ》うとく。それから、みっちゃんが合格《ごうかく》するように、毎日近所のお不動《ふどう》さんにお参《まい》りしとくわ」

「えっ……お不動《ふどう》さんに……」

「なに？」

「ううん。ありがとう……ようお願《ねが》いしとってな」

「まかしとき」

私《わたし》は、母に、問題が難《むずか》しくてわからなかったと話してしまいそうになった。

が、ぐっとこらえた。

〈あかん、あかん。そんなこと言《ゆ》うたら、お母ちゃん心配するわ。それに、不合格《ふごうかく》かどうかは、合格《ごうかく》発表の日までわからへん。難《むずか》しいと思ったのは、私《わたし》だけとちゃう。みんなもそう思っているかもしれへん……〉

そう思った私《わたし》は、発表の日まで極力《きょくりょく》明るく振《ふ》る舞《ま》うようにしようと思った。そして、毎日毎日念《ねん》じた。

〈合格《ごうかく》してますように……〉と。

択一試験《たくいっしけん》の合格《ごうかく》発表は、五月の下旬《げじゅん》に受験《じゅけん》した会場で行われる。わざわざ会場に見にいかなくても、合否《ごうひ》の結果《けっか》は後日、郵便《ゆうびん》で知らされるし、電話で教えてくれる予備校《よびこう》もあるので、それを待つという方法《ほうほう》もある。しかし、時間がかかるので、結果《けっか》を早く知りたいという場合は、会場まで見にいく必要《ひつよう》がある。合格《ごうかく》発表の日に会場に見にいくというのは、本当に勇気《ゆうき》がいる。

〈合格《ごうかく》したい！〉

という気持ちが強ければ強いほど、自分の番号がなかったときのことを考えると恐《おそ》ろしいからだ。

〈いやな結果《けっか》はなるべく先送りしたい……〉

と思う。でも、

〈発表の日がとうとう来たわ。昨日《きのう》は全然《ぜんぜん》寝《ね》られへんかった。寝《ね》たら不合格《ふごうかく》の夢《ゆめ》を見そうで怖《こわ》いもんなぁ～、そんな夢《ゆめ》見たら最悪《さいあく》やで……どうか合格《ごうかく》していますように……、あ～、でもあかんかもなぁ～、あの問題とあの問題の答え、完全《かんぜん》に間違《まちが》ってるもんなぁ～、答え合わせなんか、せんといたらよかった。合格《ごうかく》してへんかったらどないしよう……〉

と、朝からこんなことばかり繰《く》り返《かえ》し考えていた私《わたし》は、落ち着いて自宅《じたく》にいることもできない。

〈早《は》よ結果《けっか》がわからんと、身が持たへんわ……〉

そう思った私《わたし》は、合格《ごうかく》発表の三十分前に会場に行った。もうそこには何人かの受験生《じゅけんせい》が来ていて、集まって話をしていた。

「いよいよですね」

「ほんまですね」

「今日は朝から落ち着きませんわ」

「お宅《たく》もですか」

「ここに来るの三回目ですけど、もう終わりにしたいですわ……」

「なに言《ゆ》うてはりますのん。私《わたし》なんか五回目」

「へぇ～」

「二回目からは毎年ここでは自分の番号見てますけど、論文《ろんぶん》でこけてますねん……」

「ほぉ～、毎年択一《たくいつ》を合格《ごうかく》するってすごいですね」

「ほんますごいですね。私《わたし》なんか択一《たくいつ》すら一回も受かったことありませんねん」

「ほんまほんますごい。今年、もしあかんかったら、択一合格《たくいつごうかく》するコツ、教えてもらえませんかん……」

「そりゃ、私《わたし》もお願《ねが》いしたい……」

〈すっすっすごい会話やなぁ〜、初《はじ》めての受験《じゅけん》やなんてとても言われへん。だいいち会話についていかれへんわ……〉

そう思った私《わたし》は、会話に参加《さんか》することなく、合格者《ごうかくしゃ》の受験《じゅけん》番号と氏名《しめい》が張《は》り出《だ》される正門の前に立って発表の時刻《じこく》を待った。そして鞄《かばん》の中から受験票《じゅけんひょう》を取り出した。郵便《ゆうびん》はがきの裏《うら》に受験《じゅけん》番号や試験内容《しけんないよう》が印刷《いんさつ》されているもの。私《わたし》は、試験《しけん》を受けたあと、この受験票《じゅけんひょう》のあいている箇所《かしょ》に〝合格《ごうかく》〟という文字を鉛筆《えんぴつ》で書いていた。そして、発表までの間、お守りと一緒《いっしょ》に机《つくえ》の上に置《お》いていた。

待っている間、受験票《じゅけんひょう》を握《にぎ》りしめていた。

時間ちょうど、係の人が立《た》て看板《かんばん》のようなものを持って、校舎《こうしゃ》の中から出てきた。そして、それを正門の前に立てかけた。受験生《じゅけんせい》が、我先《われさき》に見ようとしてその周《まわ》りを囲《かこ》む。押《お》し合《あ》いになる。

——一九三五番——

私《わたし》は、自分の受験《じゅけん》番号を探《さが》した。なかなか見つからない。それもそのはず、吹田《すいた》での受験《じゅけん》者数は千九百人台で、自分の番号は一九三五番なのだから、最後《さいご》から見ていくほうが早いのに、いちばん最初《さいしょ》から順番《じゅんばん》に見ていったからだった。目で番号を追っていると、もう残《のこ》り少ないことがわかる。どうしよう……。ないかもしれへん……ないかも……。そのとき。

〈あった、あった、あった……一九三五番……〉

いちばん最後《さいご》にあった自分の番号を見つけた。いちばん最後《さいご》……。もう一度、手に持っている受験票《じゅけんひょう》の番号を確認《かくにん》する。

〈やった、合格《ごうかく》してる……やった……合格《ごうかく》や……〉

私《わたし》は人混《ひとご》みの輪《わ》をかきわけて、公衆《こうしゅう》電話に急いだ。そして、真っ先に実家に電話をした。

母が出たので、

「あった」

と一言叫《さけ》んだ。

「えっ……」

「あった、あった、あった……」

「みっちゃん？」

「あった……あったよ……」

私《わたし》はうれしくて、他《ほか》の言葉が出てこない。やっと、合格《ごうかく》した報告《ほうこく》の電話だとわかった母は、

「ほんま、ほんまに……」

と声をつまらせた。電話の向《む》こう側《がわ》で、母が泣《な》いているのがわかった。

「お父ちゃんにも合格《ごうかく》したって言《ゆ》うといて」

と言って、電話を切ったあと、すぐに大平《おおひら》さんに電話した。

「おっちゃん、合格《ごうかく》してたよ……」

「ほんまか……」

「うん、ほんま」

「よかったなぁ～、早《は》よ帰っておいで。みんなで待ってるから。ご飯《はん》食べにいこ」

「うん。すぐ行く」

その日の夕方、大平《おおひら》さんと応援《おうえん》してくれている人が集まって、択一合格《たくいつごうかく》おめでとう会というのをしてくれた。

あのときあきらめずに最後《さいご》まで問題を解《と》いて、ほんまによかったと思った。そして、

〈論文《ろんぶん》まであと二か月や、頑張《がんば》ろう〉

私《わたし》は、さらに気合いを入れて勉強した。わからないと言ってすねている時間も、いらいらするからといって息抜《いきぬ》きをしている時間もない。

真夏の論文試験《ろんぶんしけん》

七月、論文試験《ろんぶんしけん》を受けた。択一試験《たくいつしけん》を関西《かんさい》大学で受験《じゆけん》した者も、論文試験《ろんぶんしけん》は京都《きようと》大学で受《じゆ》験《けん》しなければならなかった。真夏に三日間行われる。しかもちょうど祇園祭《ぎおんまつり》のとき。周《まわ》りは浴衣《ゆかた》を着て、涼《すず》しそうに歩いているのに、私《わたし》たち受験生《じゆけんせい》はよれよれの格好《かつこう》をして歩いている。それなりの理由があってのことだが、やはり恥《は》ずかしい。

〈今年こそ合格《ごうかく》して、来年は浴衣姿《ゆかたすがた》で歩くぞ!〉

というのが受験生《じゆけんせい》の合い言葉だった。

一日目、早めに試験《しけん》会場となる京都《きようと》大学に行った。試験《しけん》会場となる教室は番号順《じゆん》に割《わ》り当《あ》てられていた。私《わたし》は時計台が目印《めじるし》の大教室だった。予備校《よびこう》で一緒《いつしよ》だった受験生《じゆけんせい》に「教室どこ?」と聞かれたので、私《わたし》は、

「なんか大教室みたい」

と答えた。すると、

「ギャ〜、最悪《さいあく》〜、かわいそ〜、気いつけて」

と同情《どうじょう》された。

〈なにが最悪《さいあく》なんやろ？　どこの教室になるかで、なんかちがいがあるんやろか〉

隣《となり》に特徴《とくちょう》のある人、たとえば、ぶつぶつ独《ひと》り言《ごと》を言う人が来ると、気が散《ち》るので困《こま》るということならわかる。しかし、教室がどこになるかがそんなに問題だとは想像《そうぞう》がつかなかった。

が、大教室に入って、彼女《かのじょ》の「ギャ〜」の意味がわかった。ここはクーラーがなく、しかも日差《ひざ》しをさけるために、黒の分厚《ぶあつ》いカーテンがかかっている。その日は外の気温が三十八度もあり教室の中は地獄《じごく》のように暑い。まさにサウナ。同じ試験《しけん》会場でも小教室は比較的涼《ひかくてきすず》しく、ベテランの受験生《じゅけんせい》の中には、大教室で受験《じゅけん》したくないために、計算して願書《がんしょ》を提出《ていしゅつ》している人もいるという。

〈ほんまに暑いわ、アイスノンかなんか持ってきたらよかった……かき氷が……食べたい……〉

周《まわ》りを見ると、洗面器《せんめんき》を持ってきている受験生《じゅけんせい》がいた。

〈あの洗面器《せんめんき》でなにすんのやろ。洗濯《せんたく》でもするんやろか？？？〉

不思議《ふしぎ》に思い、しばらくじっと見ていると、その男の人は、洗面器《せんめんき》に水をはり、その中に自分の足を突《つ》っ込《こ》んだ。

〈うわ〜、濃《こ》いなぁ〜、もうなれてはるんやな、ということは、毎年択一試《たくいっし》験《けん》には合格《ごうかく》してはるんや、すごい！〉

私《わたし》は、妙《みょう》なところで感心していた。


その日の科目は、午前が憲法《けんぽう》、午後から民法《みんぽう》と商法《しょうほう》だった。

私《わたし》の席《せき》は、大教室の後ろのほうだった。問題用紙は、いちばん前の席《せき》に伏《ふ》せて置《お》かれている。始まりのチャイムと同時に、前の席《せき》の受験生《じゅけんせい》が自分の分を一枚《まい》取り、残《のこ》りを後ろの席《せき》の受験生《じゅけんせい》に渡《わた》す。問題用紙を受け取った受験生《じゅけんせい》は、表側《おもてがわ》を向けてさっそく問題文を読んでいる。そう、問題用紙が全員に行《ゆ》き届《とど》いてから、さあ開始、ではない。

〈えっ、なにこれ。前の席《せき》のほうが有利《ゆうり》やんか。早《は》よ問題用紙を回してくれ〜〉

と、心の中で叫《さけ》ぶ。

午前の憲法《けんぽう》の問題は、そこそこ書けたように思う。一問目ということもあり、頭が比較的《ひかくてき》働《はたら》くからだ。ところが、午後からはほとんど頭が働《はたら》かない。まず民法《みんぽう》から始まる。

午前と同じように問題用紙が回ってくる。先に問題文を見た前のほうの席《せき》から、

「えっ？」

という声がどこからともなく聞こえてくる。まだ問題文を見ていない後ろのほうの席《せき》の受《じゅ》験生《けんせい》にとっては、このうえなく不安《ふあん》だ。

〈どんな問題が出てるんやろ？〉

手に汗《あせ》しながら問題用紙が回ってくるのを待つ。

やっと回ってきた。すぐに表側《おもてがわ》を向けて読んだ。二問あるうちの一問は、本当に「えっ？」という問題だった。

〈これ、あかんわ、こんなん今まで考えたこともない。なにをどない書くんや……〉

頭が真っ白になった。

が、そのとき、父の顔が浮《う》かんだ。

〈そうや、お父ちゃんかて、病気と闘《たたか》ってるんや。あきらめたらあかん。ここで負けたらあかん……それにおっちゃんかて、この世であかんということは一つもないって言《ゆ》うてた〉

そう思い、気を取り直して、もう一度問題用紙を手に取った。そして、書けそうな問題の

ほうを先に書いた。なんとか書けた。

時計を見るとあと一時間あった。わからないほうの問題を読み、五回くらい読んだところで、答案構成《とうあんこうせい》を考えた。でも全然《ぜんぜん》書けない。それでも問題文とにらめっこしているうちに、なんかひらめいた。そのとき、時計を見るとすでに四十分を経過《けいか》していた。

〈ぎゃ～、あと二十分しかない！〉

あせった。必死《ひっし》になって書いた。万年筆を使っていたので、手ににじむ汗《あせ》と額《ひたい》から落ちる汗《あせ》でインクがにじみ、それに涙《なみだ》も合わさって答案《とうあん》用紙がぐしゃぐしゃになった。

〈できた！〉

時間内に書けた私《わたし》は、とりあえずほっとした。

〈あ～、あと一科目や……〉

その日の最後《さいご》の科目は商法《しょうほう》。そのとき、室内の温度はもう四十度近くになっていた。拭《ぬぐ》っても拭《ぬぐ》っても汗《あせ》が出る。問題文を読むと、一問は予備校《よびこう》の答案《とうあん》練習会などでもよく出題されているものだった。もう一問は商法総則《しょうほうそうそく》の問題だった。司法試験《しほうしけん》の受験生《じゅけんせい》が比較的《ひかくてき》手薄《うす》にしている分野である。私《わたし》は、司法書士《しほうしょし》受験《じゅけん》のときにいやと言うほど、と言っては大げさだが、商法総則《しょうほうそうそく》を勉強していたので、司法試験《しほうしけん》用には特《とく》に勉強はしなかったが、他《ほか》の受験生《じゅけんせい》よりはるかに有利《ゆうり》だった。

〈よっしゃ！　ここで点数稼《かせ》がな……〉

そう思った私《わたし》は、基本的《きほんてき》なことをしっかりと書いた。

その日の試験《しけん》は終わった。

〈こんなん、あと二日も続《つづ》くんやなぁ……〉

帰りの電車の中、終点の梅田《うめだ》駅で駅員さんに起こされるまで気づかないほど、眠《ねむ》ってしまった。


二日目、午前中が刑法《けいほう》で、午後からは法律選択《ほうりつせんたく》科目。私《わたし》は国際私法《こくさいしほう》を選択《せんたく》していた。

私《わたし》は、午前中の刑法《けいほう》の問題で、どうも大失敗《だいしっぱい》をしてしまったらしいということをその日のうちに知った。昼休み、食堂《しょくどう》でご飯《はん》を食べていると、隣《となり》の席《せき》で受験生《じゅけんせい》が、どのように答案《とうあん》を書いたかについて話し合っていた。

私《わたし》は、聞きたくないので神経《しんけい》を他《ほか》に逸《そ》らそうと、一緒《いっしょ》に食べていた受験生《じゅけんせい》と祇園祭《ぎおんまつり》の話をした。

が、聞かないようにしようとすればするほど聞こえてくる。

「さっきの事例《じれい》問題、詐欺罪成立《さぎざいせいりつ》させたやろ」

「当然《とうぜん》」

「わりと簡単《かんたん》やったなぁ」

「いつもよりはな」

「あんな問題、でけへんやつおれへんで」

「さっすがぁ～、毎回模擬試験《もぎしけん》で成績優秀者《せいせきゆうしゅうしゃ》として名前がのるだけのことあるやん」

「それほどでも～」

私《わたし》は、その場で固《かた》まってしまった。

〈さっ、さっ、詐欺罪《さぎざい》、せいりつぅ～〉

私《わたし》は堂々《どうどう》と、しかも自信《じしん》を持って〝成立《せいりつ》しない〟と書いていた。

〈あかん、あかんがな……どないしょう〉

と思ってみても後の祭りである。

〈次の科目で点数を稼《かせ》がな……〉

次の科目の問題が簡単《かんたん》であることを願《ねが》ったが、世の中そんなに甘《あま》くない。

次の国際私法《こくさいしほう》の問題も、つかみどころがないというのか、なにが聞きたいのかよくわから

ない問題だった。もちろん、自分の実力の無《な》さからくることだが、

〈もう明日《あした》受けるのん、やめとこかなぁ。受けても無駄《むだ》やで……〉

と、あきらめの気持ちがまた襲《おそ》ってくる。

私《わたし》は、あきらめの気持ちを必死《ひっし》で吹《ふ》き飛《と》ばそうと、

——合格《ごうかく》——

という文字を、頭に浮《う》かばせた。

三日目、最後《さいご》の科目の民事訴訟法《みんじそしょうほう》を受けた。これが、最後《さいご》の答案《とうあん》。前日の科目に失敗《しっぱい》しているのでかなりプレッシャーだった。問題文を見ると、二問ともごくごく基本的《きほんてき》なことを問うていた。こういう問題は特《とく》に注意しなければならない。できたと思って喜《よろこ》んでいても、他《ほか》の人もできているので、自分が思うほど点数が取れていない場合が多い。私《わたし》は慎重《しんちょう》に答案構《とうあんこう》成《せい》をし、一つ一つていねいに論証《ろんしょう》するよう心がけた。

長かった三日間が終わった。

〈あ～あ、やっと終わった……というよりも、終わってしもたという感じやなぁ～、刑法《けいほう》の問題失敗《しっぱい》したようだし……あ～あ、なんでもうちょっと気のきいたこと書かれへんかったん

やろ。ほんま情《なさ》けないわ〜、明日《あした》からどないしようかな……〉

論文試験《ろんぶんしけん》の日から、合格《ごうかく》発表の日まで約《やく》二か月ある。その間、どのようにして過《す》ごそうか悩《なや》む。五月の択一試験《たくいつしけん》で不合格《ふごうかく》だった人は、もう来年の試験《しけん》に向けて択一《たくいつ》と論文《ろんぶん》の勉強をしている。また、論文試験《ろんぶんしけん》に失敗《しっぱい》したことが明らかな場合は、同じように来年の試験《しけん》に向けて勉強を始めればよい。

それに比《くら》べて、合格《ごうかく》しているかどうかがわからないほとんどの受験生《じゅけんせい》の場合は、なにを勉強していいかがわからない。もし合格《ごうかく》していれば十月に行われる口述試験《こうじゅつしけん》の勉強をしなければならないし、不合格《ふごうかく》ならば来年の試験《しけん》に向けての勉強をしなければならない。口述試験《こうじゅつしけん》と、択一《たくいつ》・論文試験《ろんぶんしけん》の勉強方法《ほうほう》が異《こと》なるので悩《なや》む。受験生《じゅけんせい》の中にはこの期間を夏休みと称《しょう》して、羽をのばす人もいるらしい。

が、私《わたし》にはそんなことはできない。それに、なんとしてでも合格《ごうかく》したい。一日だけ休み、翌日《よくじつ》から口述試験《こうじゅつしけん》の勉強を始めた。

「ゴウカクオメデトウ」

数週間後、通っていた予備校《よびこう》をのぞいた。来年に向けての択一《たくいつ》試験《しけん》用の授業《じゅぎょう》が行われていた。自習室に入ると、答案《とうあん》練習会で一緒《いっしょ》だった人たちが数人いて、先日の論文《ろんぶん》試験《しけん》について、それぞれが書いた答案例《とうあんれい》を交換《こうかん》していた。私《わたし》は、みんながどんな答案《とうあん》を書いたのか気になっていたので、答案例《とうあんれい》をもらった。そして、自宅《じたく》に戻《もど》って読んでみた。その途端《とたん》、冷《ひ》や汗《あせ》が出てきた。

〈なに、なに、なにこれ……私《わたし》の答案《とうあん》と全然《ぜんぜん》ちがう……えぇ～、うわぁ～、こんなふうに書かなあかんかったんや……〉

後悔《こうかい》した。答案例《とうあんれい》なんかもらわなければよかったと思った。でも遅《おそ》い……見てしまってから、見なかったことにはできない……気持ちが落《お》ち込《こ》む。口述試験《こうじゅつしけん》の勉強をしていても集中できない。そんなとき、大平《おおひら》さんから電話がかかった。

「発表までもう少しやな」

「…………」

「どないしたんや」

「あかんねん……」

「なにがや?」

「試験《しけん》、合格《ごうかく》してへんねん」

「なんでそんなことわかるんや」

「もうわかってんねん」

「どういうことや」

私《わたし》は、不合格《ふごうかく》だと思う理由を説明《せつめい》した。すると、大平《おおひら》さんは、

「なにも、発表があったわけとちがうんやろ」

「うん」

「ほな、まだわからへんやんか」

「そんなことないねん。あの人ら、いっつも模擬試験《もぎしけん》で成績優秀《せいせきゆうしゅう》やったし、今年は合格《ごうかく》するって言われてる人らばっかりやねん」

「そやけど、司法試験《しほうしけん》の場合、いろんな説《せつ》に立って解答《かいとう》してもええのとちがうの?」

「そんなんわかってる。私《わたし》が言《ゆ》うてんのはそんなんとちがうねん。問題文に沿《そ》った答えを書

かなあかんねんけど、そのポイントが全然《ぜんぜん》ちがうねん……」

「……」

「もうあかんねん……」

「そんなん言わんと、合格《ごうかく》発表まで待っとき」

「ようそんな気楽なこと言えるな、おっちゃん……」

せっかく心配して電話をかけてきてくれたのに、また八つ当たりをしてしまった。いつまでたっても直らない……。

が、それでも大平《おおひら》さんはなだめるように言ってくれた。

「落ち着いてよう考え……」

「……」

「その人らは、いつ頃《ごろ》から成績優秀《せいせきゆうしゅう》やったんや……」

「いつからって、たぶん二、三年前からと思う……」

「ほな、なんでその時点で合格《ごうかく》してへんのや？」

「……」

「その人らと、自分がちがう内容《ないよう》のことを書いたからって、なんで自分のほうが間違《まちが》っている、不合格《ふごうかく》やと思うんや……」

「…………」

「ふたを開けてみなわからへん。最後《さいご》まであきらめたらあかん」

「…………」

「それと、今日みたいなこと、お父さんやお母さんに言《ゆ》うたらあかんよ」

「うん……わかった。ごめん、おっちゃん」

〈ふたを開けてみなわからへん……か……おっちゃんの言《ゆ》うとおりかもしれへん……あきらめんと待ってみよ……〉

私《わたし》は、発表の日まで口述試験《こうじゅつしけん》の勉強を続《つづ》けることに決めた。

論文試験《ろんぶんしけん》の合格《ごうかく》発表は九月下旬《げじゅん》にある。京都《きょうと》大学での受験《じゅけん》の場合、合格者《ごうかくしゃ》は京都《きょうと》地方検察《けんさつ》庁《ちょう》の掲示板《けいじばん》に張《は》り出《だ》される。掲示板《けいじばん》は箱形で表はガラス張《ば》り、後《うし》ろ側《がわ》は引き戸になっている。私《わたし》は発表の一時間前に行った。そこにはもう何人かの受験生《じゅけんせい》が来ていた。私《わたし》は掲示板《けいじばん》のほうへ行き、張《は》り出《だ》されるであろう場所にあたりをつけて、その前に立った。だんだんその周《まわ》りに人垣《ひとがき》ができてきた。その日は小雨が降《ふ》っていたのでそこだけ傘《かさ》の花が咲《さ》いていた。

〈一九三五番がありますように……〉

受験票《じゅけんひょう》を握《にぎ》りしめ、そのときを待った。

択一試験《たくいつしけん》を関西《かんさい》大学で受験《じゅけん》した者は、〝吹田《すいた》〟の欄《らん》に番号があり、その下の〝京都《きょうと》〟の欄《らん》には択一試験《たくいつしけん》も京都《きょうと》大学で受験《じゅけん》した者が表示《ひょうじ》される。択一試験《たくいつしけん》のとき、いちばん最後《さいご》に番号があったので、もし合格《ごうかく》している場合は〝京都《きょうと》〟と書かれた文字のすぐ上に番号があるはず。私《わたし》は、択一試験《たくいつしけん》の合格《ごうかく》発表のときは、最初《さいしょ》の番号から見ていって失敗《しっぱい》したので、今度は番号が書かれていそうな場所にあたりをつけて、見ることに決めていた。

一分前、係の人が、一枚《まい》のぺらぺらの紙を持って、中から出てくるのが見えた。さしていた傘《かさ》をすぼめ、そのときを待った。小雨が顔にかかる……。

〈いよいよや……いよいよ発表や……まず〝京都《きょうと》〟という文字を見つけるんや……〉

心臓《しんぞう》の鼓動《こどう》が速くなった。係の人は、掲示板《けいじばん》の後ろの引き戸を開け、その紙を中に入れた。その瞬間《しゅんかん》、受験生《じゅけんせい》の目がその紙に釘《くぎ》づけになった。と同時に後ろのほうにいる人が、我《われ》先《さき》に見ようとぐいぐい前へ押《お》してくる。ガラス戸に手をつき必死《ひっし》に支《ささ》えていたが押《お》しつぶされ、右頬《みぎほお》がベチャーとガラス戸にくっついた。顔を動かせない……。

が、負けてなるものかと必死《ひっし》に横目で紙の文字を見る。そして〝京都《きょうと》〟という文字を探《さが》した。その瞬間《しゅんかん》、〝京都《きょうと》〟という文字とともに、すぐ上の数字が見えた。

――一九三五――

確《たし》かに見えた。もう一度確《たし》かめた。

――吹田《すいた》の一九三五番――

〈あった、あった、あった～〉

私《わたし》は、もみくちゃにされながらも、ようやくその人の輪《わ》の中から脱出《だっしゅつ》し、検察庁《けんさつちょう》の中に飛《と》び込《こ》んだ。そして、守衛《しゅえい》さんに、

「すいません。公衆《こうしゅう》電話をお借《か》りしてもいいですか?」

と尋《たず》ねた。守衛《しゅえい》さんは、「どうぞどうぞ」と言って公衆《こうしゅう》電話のところに案内《あんない》してくれた。

私《わたし》は受話器《じゅわき》を手に取って十円玉を二枚《まい》入れ、震《ふる》えながらボタンを押《お》した。

「もしもし」

母が出た。

「お母ちゃん……あったよ」

「えっ……」

「合格《ごうかく》してたよ」

「ほんま?」

「ほんまや……」

「ほんまに?」

「ほんまやて……お母ちゃん……」

「よかった……、よかった……」

母も私《わたし》もうれしくて、それ以上《いじょう》の言葉が出ない。私《わたし》は、

「お父ちゃんにも言《ゆ》うといてな。とりあえず今からそっちに帰るから」

と言って電話を切った。

大平《おおひら》さんにも電話をした。

「おっちゃん、あったよ。番号あったよ。合格《ごうかく》した……」

「ほんまか? ほんまに……」

「ほんまや……」

「お父さんやお母さんに知らせたか?」

「うん、もう電話した」

「どう言《ゆ》うてはった……」

「うん……うん……」

私《わたし》は胸《むね》がいっぱいになって言葉が出なかった。

「喜《よろこ》んではったやろなぁ～、早《は》よ、顔を見せに帰ったげ」

「うん。すぐに帰る」

「ほんまによう頑張《がんば》ったな。他《ほか》の人にも連絡《れんらく》しとくから」

そう言って、心から喜《よろこ》んでくれた。

電話を終わって、さっきの守衛《しゅえい》さんにお礼を言うと、守衛《しゅえい》さんは、

「おめでとうございます。よかったですね」

と言ってくれた。うれしかった。本当にうれしかった。素直《すなお》に喜《よろこ》べた。私《わたし》は、

「ありがとうございます」

と言ってその場を後にした。


口述試験《こうじゅつしけん》まで、あと二週間。口述試験《こうじゅつしけん》は、ほとんどの受験生《じゅけんせい》が合格《ごうかく》をし、不合格《ふごうかく》となるのは約《やく》一割《わり》。不合格《ふごうかく》となっても翌年《よくねん》にかぎり、択一試験《たくいっしけん》と論文試験《ろんぶんしけん》は免除《めんじょ》となる。

〈あともうちょっとや……ここまで来たらなんとしてでも合格《ごうかく》せな。口述試験《こうじゅつしけん》やからスマイ

ルが大事やな……でもあんましヘラヘラ笑《わろ》てもあかん……難《むずか》しいなぁ～〉

口述試験《こうじゅつしけん》も答える内容《ないよう》が肝心《かんじん》ということは十分わかっていたが、印象《いんしょう》をよくすることも必要《ひつよう》かなと、ついついよけいなことを考えてしまう。

択一試験《たくいつしけん》や論文試験《ろんぶんしけん》と異《こと》なり、口頭で答えなければならないので、頭で理解《りかい》して答案《とうあん》に書けても、口頭で説明《せつめい》できなければ、なんの意味もない。私《わたし》は、自分が試験《しけん》委員になったつもりで自分に質問《しつもん》し、それに答えるという練習を繰《く》り返《かえ》した。夕食の支度《したく》をするために近所のスーパーで買い物しているときも、ぶつぶつ言っていた。その様子を見ていた顔なじみのスーパーのお姉さんが心配そうに「こんにちは」と声をかけてくれる。

「わっ、びっくりしたぁ～」

「びっくりしたんはこっちやわぁ～。なにぶつぶつ言《ゆ》うてんの？」

「う～ん、ちょっと考え事。へへへぇ～」

「考え事？？？」

「大したことあらへんねん」

「そぉ～。ほな、ええけど……」

「大丈夫《だいじょうぶ》、大丈夫《だいじょうぶ》」

わけのわからない返答をしていた。不気味《ぶきみ》だったにちがいない……。

スーパーの中でも、ぶつぶつ独《ひと》り言《ごと》を言っている人はたまにいる。特売品《とくばいひん》が置《お》かれているコーナーの前で、

「いやっ、カレーのルウが百六十八円。安いやん。冷蔵庫《れいぞうこ》にタマネギとジャガイモあるし、肉は冷凍《れいとう》したのがあるから、今日はカレーにしよ。いやっ、ほうれん草一束《ひとたば》九十八円。安いやん。サラダの代わりにほうれん草のお浸《ひた》しにしよっと……」

私《わたし》もよくこのような独《ひと》り言《ごと》を言っていたが、誰《だれ》も気にとめない。

が、さすがに食肉売り場の前で、パックの肉を手にしながら、

「間接正犯《かんせつせいはん》の意義《いぎ》を言いなさい。——はい。間接正犯《かんせつせいはん》とは、利用者《りようしゃ》が被利用者《ひりようしゃ》を道具のように利用《りよう》して犯罪《はんざい》を実行することを言います。——よろしい。では、どのような争《あらそ》いがありますか。——はい。実行の着手時期に争《あらそ》いがあります」

となると、やっぱり不気味《ぶきみ》かもしれない。

〈やっぱり、変《へん》？　なんかなぁ〜、外ではあんまりぶつぶつ言わんようにしよっと……〉

十月、東京の法務《ほうむ》総合《そうごう》研究所三宿《みしゅく》寮《りょう》で口述試験《こうじゅつしけん》が行われた。それぞれ指定された日に指

定された科目を受験《じゅけん》する。私《わたし》の一日目の科目は民法《みんぽう》だった。主査《しゅさ》と副査《ふくさ》の試験《しけん》委員がいて、主査《しゅさ》が中心となって受験生《じゅけんせい》にいろいろと質問《しつもん》をする。

「恩給《おんきゅう》とは」

「えっ、恩給《おんきゅう》ですか？」

「そう恩給《おんきゅう》です」

〈これ民法《みんぽう》の試験《しけん》やろ。なんで恩給《おんきゅう》が聞かれるんや？？？〉

「はい……戦争《せんそう》に行かれた人がもらったりします」

と説明《せつめい》にならない答え方をすると、試験《しけん》委員は次の質問《しつもん》をした。

「いいでしょう。では、恩給《おんきゅう》を担保《たんぽ》としてお金を借《か》りたり、債権者《さいけんしゃ》が差《さ》し押《お》さえることができますか」

〈これやったら知っている。恩給《おんきゅう》は、差《さ》し押《お》さえ禁止《きんし》債権《さいけん》となってるはずや……〉

私は、自信《じしん》を持って「できません」と答えた。すると、

「では、来月に恩給《おんきゅう》が支払《しはら》われるのだが、今月の生活費《せいかつひ》に困《こま》ったという場合、どうすればいいですか」

「はぁ？？？」

「どうしますか」

「えっと、お金……、お金を借《か》りなければなりません」

「担保《たんぽ》がないと貸《か》せないと言われたら……。恩給《おんきゅうい》以外《がい》になにもない場合はどうしますか？」

〈困《こま》った。いい答えが思《おも》い浮《う》かばない。だけど黙《だま》ってしまうとそれで終わりだ。なんとか会話を続《つづ》けなければならない〉

「はあ、お金がないとなにも買えませんし……。困《こま》ります……はい……」

「そうです、困《こま》りますよね。あなたならどうしますか？」

「担保《たんぽ》がなくても貸《か》してもらえるように粘《ねば》り強く交渉《こうしょう》します」

「ははは ぁ〜、それも一つの方法《ほうほう》と思いますが、もっと法律的《ほうりつてき》な方法《ほうほう》はないですか」

〈法律《ほうりつ》の試験《しけん》に事実論《じじつろん》で答えるあほな受験生《じゅけんせい》を相手にせなあかん先生も大変《たいへん》やなぁ、と他人《ひと》事《ごと》のように思ってる場合やない……でも法律的《ほうりつてき》にと言われてもわからへん……〉

「お金がないとご飯《はん》食べれませんし……あ……どうしよう……そうですね……あ……う……」

歴代総理《れきだいそうり》大臣《だいじん》に「あ……う……」と言っている間に返事を考えるという方がおられたが、同じようにまねしてみても、もともと知識《ちしき》がないのに思《おも》い浮《う》かぶはずもない。さすがにこれ

以上《いじょう》待ってみてもしかたがないと思われたのか、試験《しけん》委員は、

「〝代理受領《じゅりょう》〟という言葉を聞いたことがありますか」

と助け船を出してくれた。

が、〝代理受領《じゅりょう》〟なんて言葉、今まで聞いたこともない。言葉からだいたいの想像《そうぞう》はつくが、ここで知ったかぶりをしていい加減《かげん》な答えをしてしまうと、せっかくの助け船が泥船《どろぶね》に変《か》わる。私《わたし》は正直に「聞いたことありません」と答えた。すると、試験《しけん》委員はていねいに説《せつ》明《めい》をしてくれた。そして、

「これを機会《きかい》に〝代理受領《じゅりょう》〟という意味を知っておいてください」

と言って、その日の試験《しけん》は終了《しゅうりょう》した。時間にして十五分。十月も半ばというのに汗《あせ》をびっしょりかいていた。

〈あ～、も～、初日《しょにち》からこの調子やったら先が思いやられるわ……勉強したとこ、一個《こ》も出えへんかったやんか。あんなに一生懸命《いっしょうけんめい》練習したのに……他《ほか》の科目もそうなんやろなぁ～、あと五日もこんなんが続《つづ》くんや……たまらんなぁ～〉

案《あん》の定《じょう》、他《ほか》の科目についても同じような感じで、口述試験《こうじゅつしけん》が終了《しゅうりょう》した。

最終《さいしゅう》の合格《ごうかく》発表は十月二十八日、東京《とうきょう》霞《かすみ》が関《せき》の法務省《ほうむしょう》掲示板《けいじばん》に張《は》り出《だ》される。そこまで見にいくことができないので、口述試験《こうじゅつしけん》を受験《じゅけん》したときに電報《でんぽう》を頼《たの》んでおいた。五時……十分、十五分、二十分……。なかなか電報《でんぽう》が届《とど》かない……。そのときインターホンが鳴った。

〈来た、来た、来た……〉

電報《でんぽう》が届《とど》いたと思って急いでドアを開けると、セールスだった。

「間に合ってます。さいなら」

あわててドアをしめる。落ち着かない。しびれを切らして、電報《でんぽう》を依頼《いらい》したところに電話をかけた。

「あのぉ～。今日、司法試験《しほうしけん》の合格《ごうかく》発表ですよね」

「はい、そうですよ」

「そちらに電報《でんぽう》を依頼《いらい》してあるんですけど」

「はい」

「まだ届《とど》かへんのです」

「七時頃《ごろ》には届《とど》くと思いますが……」

「ひっ、ひっ、ひちじぃ～、まで待たなあかんのですか……」

「わかりました。お調べしますので番号を教えていただけますか？」

「五九五番です」

「お待ちください」

オルゴールが鳴《な》り響《ひび》く。

〈おっそいなぁ～、ひょっとして番号なかったんとちゃうやろか。そやから電話に出にくいんとちゃうやろか……〉

悪いことばかり想像《そうぞう》してしまう。時間にすると一分くらいだったが非常《ひじょう》に長い時間に感じられた。

「お待たせしました。合格《ごうかく》されておられます」

「ほんまですか」

「はい、おめでとうございます」

「ほんまに、ありがとうございました」

〈やった～、やった～、やった～。そや、お父ちゃんに電話せな。それからおっちゃんにも……〉

受話器《じゅわき》を置《お》いてすぐに電話が鳴った。母からだった。

「みっちゃん、どないしたん。さっきから何回も電話してんのに……。呼《よ》び出《だ》してるのに出えへんから、この電話で出えへんかったら、今からそっちに様子見にいこうと思うててん」

キャッチホンにしているため、話し中にはならずに呼《よ》び出《だ》しになる。いくら呼《よ》び出《だ》しても電話を取らなかったので、なんかあったのだと思ったらしい。

「ごめんごめん。東京《とうきょう》に電話しとってん。キャッチ入ったんわかっててんけど……」

「東京《とうきょう》に？」

「そうやねん、合格《ごうかく》。合格《ごうかく》してたよ」

「えっほんま、ほんまに……」

「ほんまや、合格《ごうかく》、合格《ごうかく》」

「ほんまに……合格《ごうかく》したん……」

「ほんまや……」

「ちょっと待ってお父ちゃんと替《か》わるから」

父が電話口に出た。

「みっちゃん、よう頑張《がんば》ったな、よう頑張《がんば》った」

「うん……うん……」

「ほんまによう頑張《がんば》った」

「うん……うん……」

「お父ちゃん、もう思《おも》い残《のこ》すことない……」

「なに言《ゆ》うてんの……そんなん言《ゆ》うたらあかん……あと三十年生きるんやろ……」

「うん。生きる……長生きする……」

「ほんま約束《やくそく》やで、長生きしてや……」

父も母も心から喜《よろこ》んでくれた。

私《わたし》は両親に合格《ごうかく》を報告《ほうこく》したあと、大平《おおひら》さんに電話をした。

「おっちゃん……」

「みっちゃんか。合格《ごうかく》おめでとう」

「えっ、まだ、なんにも言《ゆ》うてへんのに、なんで合格《ごうかく》してんのわかったん？」

「声のトーンでわかる」

「私《わたし》ってほんまに単純《たんじゅん》なんやなぁ～」

「今頃《いまごろ》気いついたんかぁ～。あははぁ～」

「おっちゃん……」

「ん？」

「今まで、ほんまにありがとう」

「なんや、どないしたんや……改《あらた》めて言われると気持ち悪いなぁ～。いっつもみたいに、ごててくれ～、すねてくれ～」

〈今まで勉強を続《つづ》けてこれたのは、おっちゃんのおかげや……そやけど、これまでいらいらしてずいぶんおっちゃんにあたったなぁ～、これからなんか恩返《おんがえ》しせなあかん……〉

「これからは、おっちゃん孝行《こうこう》するわ……」

「そんなんせんでもええ」

「なんでやのん」

「おっちゃんはええから、お父さんとお母さんに孝行《こうこう》をし……」

「うん、する」

「お父さん、もう長いことないんやろ……」

「若《わか》い人ほど進行は早《は》よないけど、進行しているみたいやねん……」

「ちょっとでも時間をつくって顔を見せに行っときな」

「うん、そうする」

「お母さんも看病《かんびょう》で疲《つか》れてはるやろうから、いとうてあげなあかんよ」

「うん」

大平《おおひら》さんはいつも私《わたし》の両親のことを気遣《きづか》ってくれた。

夕方七時過《す》ぎ、電報《でんぽう》が届《とど》いた。

――ゴウカクオメデトウ」ホウムコウサイカイ――

第九章　後悔《こうかい》

養子縁組《ようしえんぐみ》

平成《へいせい》七年四月、二十九歳《さい》のとき、司法修習生《しほうしゅうしゅうせい》として採用《さいよう》され、京都《きょうと》に配属《はいぞく》された。そして、二年間の司法修習《しほうしゅうしゅう》も残《のこ》り少なくなった平成《へいせい》九年三月中頃《なかごろ》、父は、大平《おおひら》さんにどうしても会いたいと言った。

「司法修習《しほうしゅうしゅう》が終わる前に、大平《おおひら》さんに会いたいんやけど、みっちゃんから連絡《れんらく》してくれるか？」

「どないしたん？　おっちゃんに会いたいやなんて……なんか困《こま》ったことあったん？」

「いいや……」

「ほな、どないしたん？」

「大平《おおひら》さんにどうしてもお願《ねが》いしたいことがあるんや……」

「電話ではあかんの？」

「直接《ちょくせつ》会《お》うて話がしたいんや」

「お父ちゃんの病院のことやったら心配せんでもええで」

「そやない。病院のことやない……」

「ふ〜ん、ほな連絡《れんらく》してみるわ」

「そんときはみっちゃんも一緒《いっしょ》に来てな」

父が、なにを話したいのかわからなかったが、大平《おおひら》さんと両親と私《わたし》の四人で会うことになった。ホテルの中にある料亭《りょうてい》の個室《こしつ》。かすかに聞こえる琴《こと》のしらべ。静《しず》かな時間が流れる。

大平《おおひら》さんの前に座《すわ》った父は、ゆっくりと話し始めた。

「大平《おおひら》さん。最後《さいご》の頼《たの》みがあるんですわ」

「最後《さいご》やなんて……また、なんですか？」

「光代《みつよ》を、子どもにしたってもらえませんか？」

「へぇ？」

父の突然《とつぜん》の言葉に、大平《おおひら》さんも私《わたし》も驚《おどろ》いた。

「養子《ようし》にしてほしいんです」

「養子《ようし》って言《ゆ》うても……一人娘《むすめ》さんでしょう。そんなこと……」

「お父ちゃん、突然《とつぜん》なにを言《ゆ》うてんの？」

私《わたし》も理由がわからずそう聞いた。

〈お父ちゃん、ほんまは私《わたし》のこと許《ゆる》してくれてへんのやろか……〉

とも思った。

すると父は、胸《むね》につかえていた思いを話し始めた。

「わし、この子が生まれたときは、ほんまにうれしかった……うれしくてうれしくてこの世の幸せを独《ひと》り占《じ》めにしているような気さえしたんです。どんなことがあってもこの子だけは幸せにせなあかん……そう思いまして、西宮《にしのみや》のえびす神社で〃光代《みつよ》〃という名前をつけてもろうたんです。なにがあってもこの子を守る、そして幸せにすると誓《ちこ》うたんです。でも、この子が中学生の頃《ころ》、苦しんでいるときに、わしは守って助けてやることができなんだ……。今はなんとしてもこの子を守ってやりたい……」

〈お父ちゃん……お父ちゃん……〉

私《わたし》は、胸《むね》がいっぱいになった。そして、父は、

「わしは、もう長くありません。生きてこれから先この子を守ってやることができません。頭を下げてお願《ねが》いすることぐらいしか……お母ちゃんとも相談してそう決めたんです……」

と涙《なみだ》ながらにそう言った。母も涙《なみだ》ぐんでいる。

父も母も、私《わたし》の今後のことが心配で心配でしかたがなかったようだった。弁護士《べんごし》になっても、昔のことが知れると、いろいろな妨害《ぼうがい》があるかもしれない……。そんなことばかり考えていたようだ。

私《わたし》は、このとき、改《あらた》めて、目の前にいる父と母の子であることを実感した。

両親の気持ちを理解《りかい》してくれた大平《おおひら》さんは、

「それで、安心しはるんやったら……、みっちゃんがそれでいいのならそうします」

と言ってくれた。

私《わたし》は、三十一歳《さい》のとき、弁護士《べんごし》になるのと同時に〝おっちゃん〟の養女《ようじょ》になった。

実父の死

弁護士《べんごし》となり、弁護士《べんごし》バッジを手にした私《わたし》は、両親と一緒《いっしょ》に、実家の近所の写真屋まで記《き》念《ねん》写真を写しにいった。

記《き》念《ねん》写真ということもあり、父は何年かぶりにスーツを着たいと言った。

家にあるスーツは、父が元気で仕事をしていた頃《ころ》のものなので、ズボンも背広《せびろ》もだぶだぶ……。新しくスーツを誂《あつら》えてから写真を写そうとも思ったが、いつ具合が悪くなるかわからなかったので、一日でも早いほうがよかった。

「お父ちゃん。普段着《ふだんぎ》でええやんか」

「あかん。一生残《のこ》るもんやからちゃんとせなあかん」

「そんなん気にせえへんて……」

「あかんあかん」

「かまへんて……」

「みっちゃんが恥《はじ》をかく……」

父はどうしてもスーツを着るというので、ズボンがずり落ちないようにしなければならない。人工肛門《こうもん》をしているので、ベルトできつくしめるわけにもいかない。つりバンドもない。しかたがないので、母が着物を着るときの腰《こし》ひもをベルト通しに結《むす》んで、つりバンドの代わりにした。

写真屋に行き、父と私《わたし》、母と私《わたし》という具合に写して見開きのアルバムにしてもらった。

両親は、できあがったその写真を見て、楽しそうに話をした。

「ほら見てみ。みっちゃんのスーツの襟《えり》のところ」

「うん。弁護士《べんごし》バッジがちゃんと写ってるわ」

「ほんまやほんまや」

「よかったなぁ〜」

「ほんまよかった。お父ちゃんも男前に写ってるやんか」

「そうかぁ〜」

「そうやそうや。しゃあけどほっぺたがやけにふくらんでるな」

「そういえばそうやな。お父ちゃんなんかしたん？」

父は、癌《がん》になってからやせて頬《ほお》がこけていたので、家から脱脂綿《だっしめん》を持って出て、写真を写す前に口に含《ふく》んで頬《ほお》をふくらませていたらしい。少しでも元気な姿《すがた》で写してもらいたかったのだろう……。

そして、父は、

「これを、お墓《はか》に持っていくんや……」

と言って、本当にうれしそうな顔をした。

〈お父ちゃん……お父ちゃんがこんなにうれしそうな顔をするの、どれぐらいぶりやろ。子

ども頃《ころ》、よう、こんな顔してたわ……〉

父は、目の中に入れても痛《いた》くないというほど、私《わたし》をかわいがってくれた。

休みの日には、よく動物園に連《つ》れていってくれた。宝塚《たからづか》ファミリーランド、阪神《はんしん》パーク……。動物のおりの前で、

「あれはフラミンゴってゆうんやで」

「ふ〜ん」

「あれはクジャク。羽を広げたらきれいなんやで」

「クジャクかぁ〜」

「どうや、よう見えるか」

「う〜ん……背《せ》小さいから、よう見えへんわ」

「ほな、待っとき」

と言って、肩車《かたぐるま》をしてくれた。そして、遊びつかれた私《わたし》を、父はよくおぶってくれた。父の背中《せなか》は大きく温かかった。

弁護士《べんごし》になってしばらくした頃《ころ》から、父の容態《ようだい》は目に見えて悪くなっていった。両脚《りょうあし》が倍

に腫《は》れて座《すわ》ることもままならない。時おり、激《はげ》しい痛《いた》みが襲《おそ》う。入院してももう治《なお》る見込《みこ》みはないと言われた。

私《わたし》は、時間の許《ゆる》すかぎり、両親の顔を見るため実家に行った。そして、父がほしいというものは、なんでも届《とど》けるようにした。また、癌《がん》にいい食べ物や薬があると聞けば、取《と》り寄《よ》せて届《とど》けた。

「お父ちゃん。この薬、よう効《き》くんやて」

「ええ薬やなぁ～、ありがとう、ありがとう……」

「背中痛《せなかいた》ない？」

「ちょっと痛《いた》いな」

「さすったらましになる？」

「ちょっとましになる」

私《わたし》は掛《か》け布団《ぶとん》を少しずらし、父の体を横に向けて、背中《せなか》をさすった。父の体重は四〇キロを切っていた。骨《ほね》と皮……痛々《いたいた》しい……。

〈お父ちゃん……こんな体になってしもて……ごめん……ごめん……みんな私《わたし》が悪いんや……〉

涙《なみだ》が頰《ほお》をつたう。一日でも長く一緒《いっしょ》にいたいと思う。

「みっちゃん。どないしたんや」

「うん……なんでもない……なんでも……ない……」

「みっちゃん」

「ん?」

「お父ちゃんと約束《やくそく》してくれるか……」

「うん、なんでも約束《やくそく》するよ」

「人前で絶対《ぜったい》に涙《なみだ》を見せたらあかん。みっちゃんはもう弁護士《べんごし》やから、どんなに自分が辛《つら》いときでも、涙《なみだ》は見せたらあかん。頼《たよ》ってくる人は、もっと辛《つら》い思いをしてはるんやから……」

「うん、わかった。約束《やくそく》する。約束《やくそく》するから、お父ちゃんも……長生きして……」


それからあとも、私《わたし》は、少しでも時間をつくっては実家に帰った。この頃《ころ》の父はほとんど寝《ね》ていた。父は、私《わたし》が来ていることに気がつくと、

「どうや、元気にしてるか?」

と、かならず聞いた。そして、体調のましなときはよく自分の若《わか》い頃《ころ》の話をした。子どもの頃《ころ》に遊んでいた川の話、戦争《せんそう》で死んでいった友達《ともだち》の話や物がなくて苦労《くろう》したという話、早朝お墓参《はかまい》りに行ったときに幽霊《ゆうれい》らしきものに出会ったという話、どれも暗記しているほど子どもの頃《ころ》から聞かされてきた話だが、私《わたし》はうんうんとうなずきながら父の話を聞いた。父は昔の話をするとき本当にうれしそうな顔をして話をするので、その顔が見たかった。めいっぱい親孝行《おやこうこう》をしているつもりでいた。

しかし、それは親孝行《おやこうこう》のまねごとでしかなかった。

父は亡《な》くなる前、もう自分の命がつきることを知っていたのか、私《わたし》と母を枕元《まくらもと》に呼《よ》んだ。

そして、

「お父ちゃん……はな……ええお母ちゃんと……ええ娘《むすめ》を持って、ほんまに幸せやった。ありがとう……」

と消えるような声で言った。それが、私《わたし》が聞いた父の最期《さいご》の言葉だった。

私《わたし》は、そのとき改《あらた》めて、自分のしてきたことを後悔《こうかい》した。

確《たし》かに、母は父にとっては、とてもいい妻《つま》だったと思う。気難《きむずか》しい父に対して愚痴《ぐち》ひとつこぼさずに、一生懸命《いっしょうけんめい》看病《かんびょう》していた。

しかし、私《わたし》は、

「いい娘《むすめ》だった……」

と言ってもらえる資格《しかく》はどこにもない。私《わたし》が荒《あ》れ狂《くる》っていたとき、両親は、どんなに辛《つら》かったやろう……苦しかったやろう……死にたかったのは私《わたし》ではなく両親のほうやったやろう。

〈私《わたし》がしていたことは親孝行《おやこうこう》のまねごとにしかすぎひんかったんや。ほんまの親孝行《おやこうこう》とは、いらん心配や苦労《くろう》をかけへんことなんや……〉

後悔《こうかい》した。そしてやり直せるものならやり直したいと思った。

もし、今、願《ねが》いを一つかなえてくれるというなら、もう一度中学生の頃《ころ》に戻《もど》してほしい。そうすれば、いじめられてどんなに辛《つら》くても耐《た》える。自殺《じさつ》なんかして親を悲しませるようなことはしない。どんなに苦しくても、道を踏《ふ》み外《はず》したりなんかしない、そう思うからだ。

その父も平成《へいせい》十年二月に息を引き取った。享年《きょうねん》七十歳《さい》。安らかに眠《ねむ》っている父に尋《たず》ねた。

「お父ちゃん、生《う》まれ変《か》わったら、もう一度、お父ちゃんの子どもになってもいい？　今度は絶対《ぜったい》に悲しませたり、せえへんから……」

もう返事は返ってこない……。

悔《く》やんでも悔《く》やみきれない思いが残《のこ》る。

母

父が亡《な》くなってから、母は一人で暮《く》らしていた。私《わたし》は、年老《としお》いた母が一人で暮《く》らすのは心配だったので、一緒《いっしょ》に暮《く》らそうと何度も言った。

が、母は父と暮《く》らした家を離《はな》れたくないと言って、なかなか言うとおりにしてくれなかった。私《わたし》は時間の許《ゆる》すかぎり実家に帰り、母と一緒《いっしょ》に食事をしたり買い物に出かけたりした。

しかし、そのうち疲《つか》れが顔に出るようになった。私《わたし》は、疲《つか》れた顔を見せないよう、母の前ではめいっぱい明るく振《ふ》る舞《ま》ったが、やはり母にはわかるらしい。ある日、母は、

「このところ、仕事終わるの遅《おそ》いんか?」

「ううん。そんなことないよ」

「ここに来るの、しんどないか?」

「しんどないよ」

「…………」

「どないしたん?」

「うちも血圧《けつあつ》が高いし、一人で暮《く》らすの不安《ふあん》になってきたから、みっちゃんのところに行ってもええか?」

「えっ……」

「一緒《いっしょ》に暮《く》らそうと思ってるねん」

「お母ちゃん。ほんま」

「うん」

「ほな、さっそくそうしよう。そうしよう。家も探《さが》すわ」

「えらい、早いなぁ~」

母は、私《わたし》の疲《つか》れている様子を見て、同居《どうきょ》することを考えてくれたにちがいない。私《わたし》は、さっそく一緒《いっしょ》に暮《く》らす準備《じゅんび》をした。

その頃《ころ》、読売《よみうり》テレビからドキュメンタリー番組出演《しゅつえん》の話があった。ものすごく悩《なや》んだ。できることなら母と静《しず》かに暮《く》らしたい。黙《だま》っていれば、弁護士《べんごし》としてある程度《ていど》の生活は保障《ほしょう》されるし、平穏《へいおん》に暮《く》らすことができる。今さら過去《かこ》のことをほじくり返されるのはたまらない……どれもこれもふたをしてしまいたいことばかり……そう思っていたからだ。

あれこれ悩《なや》んだ末《すえ》に母に相談した。

「なあ、お母ちゃん」

「なに？」

「テレビ出演《しゅつえん》の話があるねんけど」

「テレビ？」

「私《わたし》の過去《かこ》の話も出されるねん」

「過去《かこ》の……」

「うん」

「…………」

「断《ことわ》ったほうがええやんな」

「…………」

「やっぱり……断《ことわ》るわ」

「…………」

「そうや、断《ことわ》ろ断《ことわ》ろ」

「出たらええやんか」

「えっ？」

「出たらええ」

「出たらええって、自殺未遂《じさつみすい》をしたことも、暴力団《ぼうりよくだん》の世界にいたことも、これまでやってきたこと、全部全部、わかってしまうんやで……全部やで」

「ええやんか」

「そうなったら、恥《はじ》もかくし、お母ちゃんかて、笑《わら》われるんやで……」

「みっちゃん。これまで自分のためだけに生きてきたんとちがう。もう十分やろ……」

「そうやけど……」

「テレビで放映《ほうえい》されることで、今にでも自殺《じさつ》しようと思っている子どもたちが思いとどまってくれたり、不幸《ふこう》にして道を踏《ふ》み外《はず》してしまっている子どもたちが、自分もやる気になったらできるんやと思って頑張《がんば》ってくれたら、それでええのんとちがう……」

「…………」

「みっちゃんが、こうやって弁護士《べんごし》になれたんも、大平《おおひら》さんや応援《おうえん》してくれる人がおってくれたからやろ。おかあちゃんは大丈夫《だいじょうぶ》や。明日《あした》にでもテレビの人によい返事をし……」

「お母ちゃん……」

私《わたし》が母にこの話をした理由は、母ならばきっと反対するだろうと思ったからだった。世間《せけん》体《てい》を気にする母が、わざわざ恥《はじ》をさらすようなことに賛成《さんせい》するはずがない。母が反対してくれれば堂々《どうどう》と断《ことわ》れる。そう思ったからだ。

が、ちがった。母は、自分も恥《はじ》をかくことを承知《しょうち》のうえでテレビに出るようにすすめてくれた。

〈ほんま、恥《は》ずかしいわ……。自分に勇気《ゆうき》がないだけやったのに、お母ちゃんをだしにして断《ことわ》ろうと思っていたやなんて……〉

私《わたし》は、母のこの言葉で出演《しゅつえん》することを決めた。

平成《へいせい》十年十一月、母と一緒《いっしょ》に暮《く》らし始めた。母と一つ屋根の下で暮《く》らすのは十七年ぶり。母も私《わたし》もお互《たが》いに気をつかってしまう。やはりぎごちない。夕方帰宅《きたく》すると、母は座《すわ》って本を読んでいるときでも、立って出迎《でむか》えてくれる。

「おかえり」

「ただいま」

「しんどかったやろ」

「うん」

「おつかれさま」

「お母ちゃん、私《わたし》が帰ってきても、いちいち立って出迎《でむか》えてくれんでもええよ」

「そやけど、仕事して疲《つか》れてんのに……」

「かまへんねん。そんなに気をつかっとったら疲《つか》れるで……」

「そやけど……」

私《わたし》は、帰宅《きたく》するときは、いつも気難《きむずか》しい顔をしていたのかもしれない。だから母は気をつかってしまうのだろう。そう思った私《わたし》は、玄関《げんかん》の扉《とびら》を開けると同時に、気持ちを切《き》り替《か》えて、いつも笑顔《えがお》を見せることにした。

母と暮《く》らし始めて約《やく》一年。この頃《ごろ》ようやく一緒《いっしょ》に生活することになれてくれたようだ。夜、寝転《ねころ》がって一緒《いっしょ》にテレビを見ていると、いつのまにか母の寝息《ねいき》が聞こえてくる。

〈お母ちゃん……こんなとこで寝《ね》たら風邪《かぜ》ひくやんか……〉

母を起こそうと思い、顔をのぞき込《こ》むと、安心したような顔ですやすや眠《ねむ》っている。

〈気持ちよさそうに眠《ねむ》ってるわ……〉

私《わたし》は押《お》し入《い》れから毛布《もうふ》を取り出し、母の背中《せなか》にかけた。

そしてふと思った。

〈お母ちゃん。ほんまはお父ちゃんと暮《く》らしたあの家におりたかったんやろうな。何十年という思い出がつまっているあの家に……。私《わたし》は、自分が心配やからという理由で、無理《むり》に呼《よ》び寄《よ》せてしまったけど、これでよかったんかな……。お母ちゃん、寂《さび》しいんとちがうやろか……〉

母の望《のぞ》むことはなんでもしたい。一緒《いっしょ》に買い物や旅行にも行きたいし、いつも母の笑顔《えがお》を見ていたい……そのためにはどんな努力《どりょく》も惜《お》しまない。本当に親孝行《おやこうこう》がしたい。

でも、私《わたし》がいちばんしなければいけないことは、二度と母に無用《むよう》な心配や苦労《くろう》をかけないということと、母よりも長生きをするということだろう。この当たり前のことを、当たり前のようにすることができたらいいな、と思う。

終わりに

今から十一年前、もう一度人生をやり直そうと決心した私《わたし》に、大平《おおひら》さんはある言葉を贈《おく》ってくれた。

今こそ出発点

人生とは毎日が訓練《くんれん》である
わたくし自身の訓練《くんれん》の場である
失敗《しっぱい》もできる訓練《くんれん》の場である
生きているを喜《よろこ》ぶ訓練《くんれん》の場である

今この幸せを喜《よろこ》ぶこともなく
いつどこで幸せになれるか
この喜《よろこ》びをもとに全力で進めよう

わたくし自身の将来《しょうらい》は
今この瞬間《しゅんかん》ここにある
今ここで頑張《がんば》らずにいつ頑張《がんば》る

京都大仙院《きょうとだいせんいん》　尾関宗園《おぜきそうえん》

手渡《てわた》されたA5サイズの紙には、この言葉が書かれていた。大平《おおひら》さんが経営《けいえい》する設備《せつび》会社の応接室《おうせつしつ》にかけられていた額《がく》を縮小《しゅくしょう》コピーしたものだった。

もう一度人生をやり直そうと決意した私《わたし》の心に、しみるように入ってきた言葉、

――今こそ出発点――

ときには壁《かべ》に貼《は》り、ときには手に取って、何度も何度も読み返した。手垢《てあか》でぼろぼろになったそれを、今でも、大切にしまってある。

この言葉を贈《おく》られてから九年後、私《わたし》は弁護士《べんごし》になった。

現在《げんざい》、私《わたし》は、大阪弁護士会所属《おおさかべんごしかいしょぞく》の弁護士《べんごし》として個々《ここ》の弁護士《べんごし》活動をしている。

そして、その合間に講演《こうえん》にも行かせていただいている。私《わたし》が経験《けいけん》した事実をお話しすることによって、一人でも自殺《じさつ》を思いとどまってくれたり、あるいは非行《ひこう》に走ることは割《わり》に合わないことだ、と思って思いとどまってくれたり、また、立ち直ってくれる子どもがいてくれたらという思いからだ。

しかしながら、日程《にってい》が合わずにお断《ことわ》りしなければならない場合があるし、行かせていただいても短い時間ですべてをお話しすることは不可能《ふかのう》に近い。思いの半分もお伝《つた》えできないこともある。

なにかいい方法《ほうほう》はないものかと考えていたところ、今回、講談社児童局《こうだんしゃじどうきょく》から出版《しゅっぱん》のお話をいただいた。喜《よろこ》んでお受けしたものの、文章にするには多大な苦労《くろう》が伴《ともな》った。私以外《わたしいがい》の人たちのプライバシーには配慮《はいりょ》が必要《ひつよう》なため記述《きじゅつ》に限界《げんかい》があったことと、これを書くと特定《とくてい》の人を傷《きず》つけてしまうということもあり、だいぶ苦慮《くりょ》したが、その点を考慮《こうりょ》したうえでも十分お伝《つた》えすることができると思い、作業を続《つづ》けた。なお、当時の出来事については、その当時に抱《いだ》いた感情《かんじょう》を、そのままお伝《つた》えすることを心がけた。

全体については、文章作法《さほう》を十分勉強することができないままの書き上げとなり、関係者《かんけいしゃ》の方には多大なるご迷惑《めいわく》をおかけしてしまった。この場を借《か》りてお詫《わ》びとともにお礼を申し上げたい。

そして、この本を読んでくださったあなたへ。

もし、あなたが今すぐにでも死んでしまいたいと思っていても、絶対《ぜったい》に自殺《じさつ》はしないでほしい。死んでも地獄《じごく》、運よく助かっても立ち直るまでは地獄《じごく》。あなたの今現在《げんざい》の苦しみや悲しみは永遠《えいえん》のものではなく、いつかきっと解決《かいけつ》する。どうか前向きに生きていってほしい。

もし、あなたが今すぐにでも道を踏《ふ》み外《はず》してしまいそうなら、思いとどまってほしい。家庭や学校や世間に対する怒《いか》りや不満《ふまん》を、道を踏《ふ》み外《はず》すことで解消《かいしょう》しようとしても、それは全部自分に跳《は》ね返《かえ》ってくる。自分がしたことの何倍にもなって。どうか周《まわ》りの人の言うことを素直《すなお》に聞いて、自分の人生も他人の人生も大切にしてほしい。

もし、あなたがもう道を踏《ふ》み外《はず》してしまっているというなら、今からでも遅《おそ》くはない。もう一度人生をやり直してほしい。この先も、いくたの苦難《くなん》があるかもしれないが、あなたはそれに耐《た》えられるだけの力を備《そな》えているはず。あなたはこれまで随分《ずいぶん》と辛《つら》い目にあってきたのだから。一つ一つ困難《こんなん》を乗《の》り越《こ》えて、そしてその手に幸せをつかんでほしい。

あきらめたら、あかん！

〈解説に代えて〉

過去と向き合う強さ

小島美穂《こじまみほ》（読売《よみうり》テレビ報道局）

「変わった経歴の女性弁護士がいる」

二年ほど前だったと思う。当時、大阪《おおさか》の司法記者クラブにいた私《わたし》は、ある人から、そう耳打ちされた。「中卒、自殺未遂《みすい》、〝極妻《ごくつま》〟。そして、司法試験に一発合格……」

そんな女性が本当にいるのかと、そのときは半信半疑で話を聞いた。

数か月が過ぎて、その女性と食事をすることになった。約束の店に時間どおりに現れた女性は、端正《たんせい》な紺色《こんいろ》のスーツ姿。身長は一五六センチの私と変わらず、華奢《きゃしゃ》な体つき。薄《うす》化粧《げしょう》に縁《ふち》なしの上品な眼鏡《めがね》、知的な雰囲気《ふんいき》が漂《ただよ》う。

「はじめまして」

テーブルの向こう側に座《すわ》った彼女《かのじょ》は、初対面の私に、自分の過去を語り始めた。あれこれと興味深げにたずねるたびに、彼女の心を傷つけはしまいかと気を揉《も》んだが、当の本人は、お構いなしといった表情で言葉をつないでいく。

「じゃあ、また。次は裁判所でね」

二時間ほど話したあと、私たちは店の前で別れた。少女のような笑《え》み、と言うと大平さんには失礼だろうか。彼女は自転車にちょこんと飛び乗り、夜のネオン街を駆《か》け抜《ぬ》けていった。

私《わたし》の心に残ったのは、彼女《かのじょ》の「変わった経歴」ではない。むしろ、消したくなるような過去と、時に笑《え》みを浮《う》かべながら向き合う「今の姿」だった。

それから何度、食事を共にしただろうか。出会いから半年後、私は大平《おおひら》さんのドキュメンタリー番組を撮《と》り始めた。


大平さんの法律事務所は、大阪《おおさか》地方裁判所周辺のビル街から離れた、淀川《よどがわ》沿いの町工場が立ち並ぶ一角にある。プレハブの建物を見たほとんどの人は、そこが法律事務所とは気づかないだろう。養父の大平浩三郎《おおひらひろさぶろう》氏が経営していた会社の跡地《あとち》に建てた二階建ての小さなプレハブ。トタン屋根が緑色なのは、養父が好きな色だからだという。事務所を開業するにあたって、彼女は、養父にこんなことを誓《ちか》った。

「私はこうして立ち直れたけど、世の中には、かつての自分と同じような境遇《きょうぐう》の人が、まだたくさんいる。そんな人たちの力になりたい」

弁護士になって三年。大平さんはこの間、七十人を超《こ》える非行少年と向き合ってきた。事件を起こした少年に面会するため、少年鑑別所《かんべつしょ》に頻繁《ひんぱん》に足を運ぶ。彼《かれ》らの生《お》い立《た》ち、家庭の事情はさまざまだ。学校でのいじめ、幼少期の虐待《ぎゃくたい》の体験、親の過干渉《かかんしょう》、甘《あま》やかし……。彼《かれ》らを取り巻く環境《かんきょう》に、どんな問題が潜《ひそ》んでいるのか。それを探すことは自らの過去と向き合う作業でもある。

「同じ臭《にお》いがするの」

大平《おおひら》さんは、過去の自分と彼らの共通点を、こんな言葉で表現する。学校や家庭で、「どうしようもない」と言われるほど荒《あ》れてきた子どもに対しても、この「臭《にお》い」にひかれて、更生《こうせい》の可能性を見出《みいだ》していく。そのうえで、どんな処遇《しょぐう》が少年にとっていちばん望ましいかを見極《みきわ》め、家庭裁判所に意見する。

取材を始めて二か月後。大平さんはシンナー事件で逮捕《たいほ》された十七歳《さい》のサトル（仮名）を受け持つことになった。

彼もまた、二十年前の大平さんのように、孤独《こどく》な少年だった。中学校に行かなくなり、不良グループを転々としては非行を繰《く》り返《かえ》した。学校も家庭も、彼と距離《きょり》を置いた。

十日後、家庭裁判所の審判《しんぱん》が開かれ、処分が下されるが、少年院送致《そうち》になる可能性が高い。少年鑑別所《かんべつしょ》に収容されたサトルに、大平さんは何度も面会に行くが、サトルはなかなか心を開こうとしない。

人間不信――。十代の少年にとって、その傷がいかに深いか。そのことを恐《おそ》らく彼以上に知る大平さんは、少年が大人に心を開かないのは、「大人の心を見透《みす》かしているから」だという。私《わたし》は違《ちが》うのよ。そう心の中で叫《さけ》び続け、彼女《かのじょ》は少年と向き合う。どんなことがあっても、嘘《うそ》でごまかしたりしない。たとえ、裏切られたとしても。

鑑別所《かんべつしょ》での面会を重ねるうちに、サトルは目を真っ赤にして話をするようになった。彼女は少年院に行かずに立ち直る機会をもらえるよう、できるだけのことをすると約束した。

「結果的に少年院に行くことになっても、誰《だれ》かが少年を信じて、彼《かれ》のために活動することが大事なんです。少年も自分の行いを振《ふ》り返《かえ》って、『今度こそ立ち直ろう』という気持ちになるはず。そこで少年院に入れてしまうと、『自分は誰からも信用されていない』『同じ信用されないんだったら、とことんまで悪くなってやろう』という気になってしまう。チャンスは与《あた》えてあげるべきなんです。生かすかどうかは、本人次第《しだい》なんですが……」

　彼女は、サトルに興味のある仕事をたずね、職探しに駆《か》け回《まわ》った。だが、非行歴のある少年を雇《やと》い入《い》れてくれる職場はそう簡単には見つからない。やっとのことで、住《す》み込《こ》みで雇ってもらえる塗装《とそう》会社を見つけた。結局、審判《しんぱん》で、サトルは少年院送致《そうち》を免《まぬか》れた。働きながら生活環境《かんきょう》を変えることで、更生《こうせい》を目指すという寛大《かんだい》な処分だった。

　多くの場合、少年審判で弁護士が奔走《ほんそう》するのは、処遇《しょぐう》が決まるまでの間に限られる。だが、大平《おおひら》さんは言う。

「勝負はこれから」と。むしろ、「処遇決定後」のほうが、彼女にとっての正念場なのだと。立ち直りを誓《ちか》った少年でも、関《かか》わり続ける人がいなくなると、しばらくして再び非行に走るケースが少なくないことは過去のデータが証明している。

「二十歳《はたち》になって、少年が完全に自立するまでは安心できない」と言いきる大平《おおひら》さんは、職場や家まで、少年のその後の様子をうかがいにいく。少年院へ収容された子には、面会を続ける。院内の運動会などの行事には、親代わりに駆《か》けつける。少年院を出る際《さい》には、あらかじめ、自立するまで面倒《めんどう》をみてもらえる家庭と職場を探しておき、社会復帰できる道を開いておく。その活動は「弁護士」という仕事の枠《わく》だけで、くくれるものではない。

だが……。

彼女《かのじょ》の言葉に耳を傾《かたむ》ける非行少年は、十人のうち一人いるかいないかだという。残りの九人は、彼女に心を開かず、再び事件を起こして逮捕《たいほ》されたり、行方《ゆくえ》をくらましてしまう。心を砕《くだ》いても形にならない。これが「少年たちの実像」なのだ。

サトルも「残りの九人」に入ってしまった。審判《しんぱん》のあと、数か月して急に髪《かみ》の毛《け》を茶色に染め、以前の不良仲間と遊ぶようになった。せっかく雇《やと》ってもらった塗装《とそう》会社の寮《りよう》も抜《ぬ》け出《だ》してしまった。

連絡《れんらく》が途絶《とだ》えてから約二か月後。大平さんのもとに入ったのは、警察からの連絡だった。サトルは結局、少年院に収容された。

「十人に一人でも、構わない」

と大平さんはきっぱりと言いきる。

「たった一人でもいい。今はわからなくても、いつか、『あのときあんな弁護士がいたな』なんて思い出して、そのときでも立ち直ってくれたらいい。私《わたし》も、養父に出会うまでは大人の言うことなんて全然わからなかったもの」

彼女《かのじょ》からそう聞いたとき、私は無意識にこう思っていた。大平《おおひら》さんは自らの過去を少年たちに語り、立ち直らせようとしていると。だが、彼女は過去を〝切り札〟にしていなかった。

サトルも彼女の過去を知らない。

「話しても、今はわかってもらえないから。事件を起こした子どもたちにとって、自分の境遇《きょうぐう》のことだけが問題。『おまえが昔、悪かったことなんて、どうでもいい。今の俺《おれ》をなんとかしてくれ』って感じでね。私が過去を話すのは、少年自身が心の底から立ち直りたいと願って、実社会に飛び出したときなの。少年院帰りだということで差別されるかもしれないし、順調に立ち直れる保証はないんだから。迷い、悩《なや》みは必ず訪《おとず》れる。そのときこそ、私の体験を打ち明けたいと思う」

私が大平さんと心から向き合うようになったのは、この言葉を聞いたときからかもしれない。

長い取材の中で、一度だけ、大平さんの涙《なみだ》を見たことがある。実の父親の死について語ってもらったときのことだった。

「父を蹴《け》ったこともあるんです。この足で。どうして、あんなことをしたんだろう――」

重くのしかかる罪悪感。

彼女《かのじょ》は弁護士になった今でも、過去を悔《く》やむ毎日から逃《のが》れられずにいる。十年ほどの絶《ぜつ》縁《えん》状態を経《へ》て、現在は、一緒《いっしょ》に暮らしている母親を見るたびに、「私《わたし》はこの人にひどいことをしてきたんだ」と胸が締《し》めつけられる思いがするとも打ち明けてくれた。

「立ち直ったとしても、過去の傷は絶対、消すことなんてできない。非行に走る子どもたちに言いたいのは、この罪悪感に、本当に耐《た》えて生きていけるのかってことなの」

消せない過去の傷――。彼女の背中には、大きな刺青《いれずみ》がある。私は取材の終わりに、その刺青を撮影《さつえい》した。カメラの前で刺青をさらすことの是非《ぜひ》を、私たちは何度も話し合った。彼女は「弁護士」である。周囲の法曹《ほうそう》関係者からの批判はないだろうか。

彼女は、このことを養父の大平《おおひら》氏に相談した。

大平氏は、現在六十六歳《さい》。彼《かれ》もまた、温かい家庭の愛情を知らずに育った不良少年だったという。十歳のとき、母を亡《な》くした。父や兄弟と離《はな》れて、ひとり継母《ままはは》の実家、静岡県榛原郡《しずおかけんはいばらぐん》の貧しい農家に預けられた。十代後半から荒《あ》れ始め、一度は道を踏《ふ》み外《はず》すが、自力で興《おこ》した事業が運良くあたったのをきっかけに、立ち直った。以来、家庭に恵《めぐ》まれない多くの少年を会社に雇《やと》い入《い》れたり、資格を取るための学費の面倒《めんどう》をみるなどしてきた。

養父は大平さんにとって、「父」であり、「大先輩《だいせんぱい》」でもある。少年に思いが通じず、歯がゆい思いをするとき、悩《なや》みをぶつけられる唯一《ゆいいつ》の相手だった。

そんな養父が、私にこう言った。

「〝弁護士〟の肩書《かたが》きが、なんぼのもんや。背中の刺青《いれずみ》は、『ここまで落ちても、人生はまだまだこれから。必ずやり直せる』っていうことの証《あかし》や。そういう番組をつくってください」

いつも温和で、優《やさ》しい表情をしている養父の、これほど厳しい顔を見たのは、このとき限りだ。

「どうぞ撮影《さつえい》してください」

養父の隣《となり》に座《すわ》った彼女《かのじょ》が、そう言葉をつないだ。

司法試験に合格した五年前、二人の間で背中の刺青をめぐってこんなやりとりがあった。

「刺青を消したらどうか」

弁護士という社会的立場を考えたのか、養父はそうすすめた。

彼女は首を横に振《ふ》ったという。

「今までのことを全部消し去って、何もなかったようにのほほんと暮らすというのはちょっと違《ちが》うと思うんです。過去にしてきた事実は事実として、一生背負っていくものだと。背負ったままの私《わたし》で、何か世の中の役に立つことはないかと。そう思って、消さずにいたんです」

自宅で行われた撮影は、ほんの数分間で終わった。カメラを前にしても、彼女は終始、毅《き》然《ぜん》とした態度を変えなかった。


さて、本書に目を通した人は、どのような思いを抱《いだ》いただろうか。

大平《おおひら》さんのたどった道は、単なる「波乱万丈記《ばんじょうき》」ではない。彼女《かのじょ》の人生が教えてくれるのは、自ら運命を切り開いていく人間の可能性である。どんな人生にも転機が訪《おとず》れる。できることなら、流されてしまいたくなる苦しい局面に、人はどれだけ辛抱《しんぼう》し続け、幸運をつかみとっていく勇気を持つことができるだろうか。

大平さんのもとには、今、教育関係者から講演の依頼《いらい》が続々と舞《ま》い込《こ》んでいる。

「勉強したくても本が買えない子どもたちに本を贈《おく》ってください」と、講演料は関係団体に寄付しているという。外国人の弁護をすることもあるからと、通訳の勉強も始めたらしい。過去と向き合いながら、「今」に満足しきらない彼女の姿がここにもある。

彼女に、夢は何かとたずねたことがある。しばらく間をおいて、こんな答えが返ってきた。

「そんなに大それたことはできません。一日一日を一生懸命《いっしょうけんめい》に生きるだけ」

彼女はまだ三十四歳《さい》。

弁護士という肩書《かたが》きにさえ執着《しゅうちゃく》していない彼女は、どのように新しい人生を切り開いていくのだろう。

大平さんの人生は、いつも「出発点」なのかもしれない。

【追記】

数日前、大平さんの元に一通の手紙が届いた。サトルからだった。

「先生、何度も裏切ってごめんなさい」

丁寧《ていねい》な字でそう書いてあったと、彼女《かのじょ》は嬉《うれ》しそうに笑った。大平《おおひら》さんが彼《かれ》にこの本を贈《おく》る日を、私《わたし》は心待ちにしている。

一九九九年十二月

●著者略歴

大平光代（おおひら　みつよ）

1965年10月18日生まれ。中学２年のときに、いじめを苦にして、割腹自殺を図《はか》る。その後、非行に走り、16歳のとき「極道《ごくどう》の妻」となり、背中に刺青《いれずみ》をいれる。養父・大平浩三郎《おおひらひろさぶろう》さんと出会って立ち直り、中卒の学歴を乗り越えて、「宅建《たつけん》」、「司法書士《しほうしょし》」と次々と合格し、29歳で、最難関《さいなんかん》の「司法試験」に一発で合格する。現在、非行少年の更生《こうせい》に努《つと》める弁護士として、東奔西走《とうほんせいそう》する毎日である。

本文デザイン／デザイン・ファクトリー・IN（遠藤真奈美）

だから、あなたも生《い》きぬいて

2000年２月22日　　第１刷発行

2000年４月12日　　第６刷発行

著　者　大平光代《おおひらみつよ》

発行者　野間佐和子

発行所　株式会社講談社

東京都文京区音羽 2-12-21（〒112-8001）

電話　出版部 03(5395)3536

販売部 03(5395)3625

製作部 03(5395)3615

印刷所　豊国印刷株式会社

半七写真印刷工業株式会社

製本所　株式会社大進堂

N.D.C. 289　259p　20cm

ISBN4-06-210058-4（児二）

定価は，カバーに表示してあります。